Albert Trummer
Dr. med. Markus Metka

COCKTAILS

Die besten Drinks aus der legendären
Apotheke Bar in NY

Mitarbeit von Heidi Mayrhofer

CHRISTIAN BRANDSTÄTTER VERLAG

Inhaltsverzeichnis

VON DER ALCHEMIE ZUR MIXOLOGIE

DR. MED. MARKUS METKA

„Apotheke" heißt die angesagte Cocktailbar des Österreichers Albert Trummer in New York City. Der Name ist Programm: Trummer mixt frische Früchte, Kräuter und Säfte mit teils selbst angesetztem Alkohol nicht einfach zu Cocktails, sondern zu alchemistischen Essenzen, die kleine Wunder wirken. Es handelt sich also um „trinkbare Gesundheit", die der Barmann in seine Gläser füllt, und er erntet damit weit über den Big Apple hinaus Applaus. Die Inhaltsstoffe seiner Drinks machten den in Wien tätigen Anti-Aging-Arzt Univ.-Prof. Dr. Markus Metka hellhörig. In wissenschaftlichen Arbeiten konnte er beweisen, was schon den Alchemisten und Ärzten des Mittelalters in der Praxis Erfolg beschert hatte: Dass hochprozentiger Alkohol Pflanzen ihre heilkräftige Wirkung entzieht und diese noch verstärkt. Was lag also näher, als Kontakt mit Albert Trummer aufzunehmen und mit ihm gemeinsam „gesunde Drinks" zu kreieren? So mischten Markus Metka, einer der führenden Pioniere der Anti-Aging-Medizin, und der Cocktail-Druide Albert Trummer gekonnt ihr umfassendes Wissen zusammen und komponierten „Superdrinks", die durch ihre positive Wirkung auf Geist und Körper bestechen. Wenn wir einander heute also mit einem dieser Cocktails zuprosten, ist das die moderne Antwort auf die antike Idee, Alkohol könne übernatürliche Kräfte wecken.

In China erkannte man schon sehr früh die Wichtigkeit der Pflanzeninhaltsstoffe: „Lass die Säfte der Pflanzen die Kraft in deinem Blut sein", galt als wichtiger Leitsatz der chinesischen Medizin.

Der verantwortungsvolle Umgang mit Alkohol hat ein unschätzbares Potenzial für unsere Gesundheit, das haben die Menschen schon früh bemerkt – zumindest vor 5.000 Jahren, wie man aus dem alten Ägypten weiß, und so kann Alkohol als erstes wirksames Heilmittel angesehen werden. Weil die Ägypter dem Wein heilende Kräfte zusprachen, gaben sie ihren Toten Wein mit auf den Weg zum Totengericht. Aber nicht nur Wein, auch Bier war ein wichtiger Bestandteil der altägyptischen Heil- und Anti-Aging-Mittel. Schon Skorpion I, einer der ersten Pharaonen, ließ Wein anbauen und ihn mit allerlei Kräutern wie Koriander, Minze, Salbei oder mit Zimt oder Pinienharzen versetzen. So schmeckte der Wein nicht nur besser, sondern er enthielt zusätzlich medizinisch wirksame Stoffe. Nicht von ungefähr erreichte gerade der ägyptische Adel meist ein hohes Alter. Wer es sich leisten konnte, tat so manches dafür, vital zu altern. Als besonders wichtige Voraussetzung dafür, ja richtiggehend als Jungbrunnen, galt schon damals eine gesunde Ernährung.

Der mit allerlei Kräutern und Honig versetzte Gewürzwein der Ägypter feierte Jahrtausende später sein Comeback: als Glühwein, aber auch als Heilmittel gegen grippale Infekte. Zimt etwa wirkt entzündungshemmend, Gewürznelken bekämpfen Viren und Bakterien, und auch Sternanis, der durchwegs in Glühwein enthalten ist, hat deutlich antivirale Effekte und wird mittlerweile sogar bei der Erzeugung des Grippemittels Tamiflu eingesetzt.

Der Siegelring eines drakischen Fürsten zeigt Weintraube, Schildkröte und Greif, die Botschaft ist eindeutig: „Wenn du Wein trinkst, wirst du leben so lange wie eine Schildkröte und stark sein wie ein Löwengreif."

So ähnlich wird man sich wohl auch die „Herbal-Wine-Apotheke" des ägyptischen Pharaos Skorpion I. (2300 vor Chr.) vorstellen können.

Die Universität von Salerno
(ca. 1000 n. Chr.) gilt als
Geburtsstätte der Elixiere, Tinkturen
und Destillate – ein Quantensprung
in der Pharmazie und die Voraussetzung der Mixologie.

Der Leitsatz des Hippokrates, des Urvaters der abendländischen
Medizin, „Lass die Nahrung deine Medizin und Medizin deine Nahrung sein", klingt einerseits von der Weisheit der Ägypter inspiriert,
andererseits könnte so auch eine Empfehlung der modernen Anti-
Aging-Forschung lauten.

Die Erkenntnisse der antiken Ärzte – besonders des Hippokrates und des Celsus und Galen – fanden fruchtbaren Boden in den
Klöstern des Mittelalters. Heilende Kräuter und Gewürze spiel-
ten dort eine große Rolle, und die Mönche bewahrten sie in eige-
nen Räumlichkeiten auf, den „apothecae".

„Der Wein ist unter den Getränken das nützlichste, unter den Arz-
neien die schmackhafteste, unter den Nahrungsmitteln das ange-
nehmste", so behauptete schon Plutarch vor bald 2000 Jahren.
Was im Volke stets ein offenes Geheimnis war, belegt nun auch
eine Studie der medizinischen Universität von Massachusetts:
Drei Gläser Wein pro Woche reduzieren das Risiko, an Herzinfarkt zu erkranken, um rund 30 Prozent. Diese lebensverlängernde Wirkung resultiert speziell aus den Weininhaltsstoffen
Resveratrol und Quercetin. Resveratrol ist in hoher Dosis in der

Haut roter Trauben zu finden – ein Liter Traubensaft schafft es bereits auf 200 µg Resveratrol, ein Liter Rotwein hingegen kommt auf 30 bis 50 mg. Resveratrol und Quercetin zählen beide zu den Flavonoiden und verbessern unter anderem nachweislich die Durchblutung, bekämpfen Sauerstoffradikale und somit auch sogenannte stille Entzündungen, die man anfänglich nicht merkt, die aber gefährliche Faktoren für Herzinfarkte oder Demenzerkrankungen sein können.

Das eigentliche Geheimnis des jung machenden Alkohols ist jedoch von alters her das Destillat. Der griechische Philosoph Aristoteles beschrieb bereits vor 2 300 Jahren eingehend, wie sich erhitzter Wein als Wasser niederschlägt. Aqua ardens – brennendes Wasser – stand bei den Alchemisten wegen seiner vielfältigen Eigenschaften hoch im Kurs, fand aber auch bei den Medizinern als Heilmittel Anerkennung. Eine Weindestillation wurde erstmals 1167 im medizinischen Lehrbuch des Alchemisten Salernus dokumentiert, doch erst Taddeo Alderotti, der Gründer der medizinischen Schule Bolognas, schuf im 13. Jahrhundert aus dem Aqua ardens der Alchemisten das Aqua vitae der Mediziner. Das Lebenswasser galt bald als magisches Allheilmittel und wirkte, nach der Meinung der damaligen Gelehrten, gegen alle nur denkbaren „inneren wie äußeren Übel". Es sollte sogar Gift neutralisieren, gegen die Pest helfen, innere und äußere Kälte bekämpfen, als Aphrodisiakum und Schönheitsmittel wirken und – die Jugendlichkeit bewahren und das Leben verlängern. Von einer Medizin, die derart positiv ins Leben eingreifen sollte, versprachen sich rasch nicht nur Leidende einiges, und so wurde das Lebenswasser außer als Medizin bald auch als Genussmittel verkauft. Kurz darauf reicherte man das „Aqua vitae" aus gesundheitlichen wie geschmacklichen Gründen – ähnlich wie die Ägypter ihre Weine – mit allerlei Kräutern und Gewürzen an, und zwar, indem man die Substanzen entweder einfach in das Destillat einlegte oder sie gleich von Anfang an mitbrannte. Zum großen Erstaunen schien sich die Heilkraft der Inhaltsstoffe zu potenzieren. Das, was Ärzte und Alchemisten von damals nur durch praktische Anwendungen demonstrieren konnten, ist heute medizinisch erklär- und nachweisbar. Grundsätzlich gilt: Je länger man Lebensmittel lagert, desto geringer werden ihre positiven Wirkstoffe. Einige Substanzen aber, so zeigten die Forschungen, verkehren diesen Grundsatz ins Gegenteil, denn Früchte wie Erdbeeren oder Brombeeren, die in Alkohol konserviert werden, wirken nach 14 Tagen im Alkoholbad deutlich frischer als die unbehandelten Beeren. Außerdem speichert der Alkohol die antioxidative Wirkung der Früchte. Und nicht nur das, er erhöht die gesundheitsfördernden antiinflammatorischen und antikanzerogenen Substanzen um ein Vielfaches. Alkohol in Maßen sowie die passenden Kräuter, Gewürze und

Eine der ersten mittelalterlichen Apotheken gab es in einem Benediktinerkloster (ca. 1200 n. Chr.). Von hier aus begann der Siegeszug der hochprozentigen Destillate und auch deren Verwendung als Genussmittel.

Früchte können also durchaus die richtigen Zutaten „ewiger Jugend" sein.

Dafür sollte man sich bei weißem Zucker zurückhalten. Zwar könnte der menschliche Körper ohne Zucker nicht überleben – nicht atmen, nicht gehen, nicht arbeiten und schon gar nicht denken –, denn Zucker ist einer unserer wichtigsten Energielieferanten und Treibstoff. Unsere Gehirnzellen etwa ernähren sich ausschließlich von Zucker und verbrennen pro Tag rund 140 Gramm Glukose, also etwa zehn Esslöffel Zucker. Doch ist dies kein Freibrief für den üppigen Genuss von Schokolade, Kuchen und Eis. Denn der menschliche Körper stellt seinen süßen Brennstoff selbstständig her, und zwar aus Brot, Nudeln oder Kartoffeln. Der

FAMOSO·DOCTOR PARESELSVS

Der Arzt Paracelsus (1493–1541) gilt heute als „Jahrtausendmensch" der Alchemie und Pharmazie und letztendlich auch der Mixologie.

schnell verwertbare weiße Zucker aber setzt dem Körper ordentlich zu, denn zu viel Zucker bewirkt einen zu hohen Blutzuckerspiegel. Ist der Blutzuckerspiegel aber zu hoch, fühlt sich die Bauchspeicheldrüse bemüßigt, Gas zu geben, um den Blutzuckerspiegel wieder auf normales Verbraucherniveau zu bringen. Dafür produziert sie reichlich Insulin, denn das wird für die Zuckeraufbereitung benötigt. Das Ergebnis: Der Stoffwechsel gerät durcheinander und löst im Organismus oxidativen und inflammatorischen Stress aus.

Ausschlaggebend, ob ein Süßungsmittel als akzeptabel gilt oder nicht, ist der glykämische Index, der beschreibt, wie schnell Zucker in die Blutbahn gerät und aufgespalten wird. Seine Formel ist kurz und prägnant: je rascher, desto schädlicher. Eine gute Alternative, die mindestens so schmackhaft ist wie weißer Zucker, wäre Agavensirup. Der Saft der Agave soll zudem Wundheilung unterstützen und Entzündungen hemmen – übrigens hat auch der Tequila seinen Ursprung in der Agave. Ebenfalls nicht zu verachten ist Ahornsirup, der einen Zuckergehalt von etwa 65 Prozent aufweist sowie einige Mineralstoffe. Er hat weniger Kalorien als Honig und liegt mit einem glykämischen Index von rund 40 deutlich unter Zucker. Eine gesunde und absolut kalorienarme Alternative zu weißem Zucker entstammt der südamerikanischen Süßpflanze Stevia. Aus den Blättern wird sogenanntes Steviosid entnommen, ein Pflanzeninhaltsstoff, der bis zu 300 Mal süßer als herkömmlicher Haushaltszucker ist. Und diese Stevioside sind nicht nur süß, sondern auch gesund. Sie zählen nämlich – wie das Resveratrol und das Quercetin im Wein – zu den Flavonoiden, und diese wirken stark antioxidativ, antiviral und antikanzerogen.

Der Mensch mag es also süß. Das beweisen bereits Neugeborene. Die Wahrnehmung unterschiedlicher Geschmäcker macht uns das Leben nicht nur abwechslungsreicher, sondern steuert auch das Essverhalten. Und genauso wie der Mensch Süßem den Vorzug gibt, hat er eine natürliche Abneigung gegen alles Bittere. Dabei helfen uns gerade Bitterstoffe, gesund zu bleiben, und das nicht nur, weil wir weniger essen, wenn Speisen bitter schmecken. Salopp lässt sich sagen: Bitter macht fitter. Das wusste bereits der griechische Arzt Dioscurides, der im 1. Jahrhundert in fünf Büchern rund 1 000 Heilmittel zusammenfasste, darunter auch etliche Bitterstoffe, etwa das Wermutskraut, das dem Wermutstropfen zu seiner sprichwörtlichen Verwendung verholfen hat. Selbst der Volksmund war sich stets sicher: „Bitter im Mund, ist der Magen gesund" und verarbeitete bittere Kräuter und Gewürze zu Medizin, aus der sich bald Genussmittel wie der Aperitif oder der Digestif entwickelten. Beifuss gegen Verdauungsstörungen, Schafgarbe gegen Sodbrennen, Bitterklee gegen Gallenbeschwer-

Dieses Cocktailbuch aus dem Jahr 1870 gilt als die „Bibel" der Mixologen und besitzt auch heute noch Gültigkeit.

Der Arzt Markus Metka in seiner Lieblingsapotheke in Wien, „Zum Goldenen Reichsapfel".

den, Enzian gegen Völlegefühl – Bitterstoffe beweisen ihre positiven Auswirkungen auf den menschlichen Körper bereits in kleinsten Mengen. Sobald dem Gehirn „bitter" signalisiert wird, kurbelt es den gesamten Stoffwechsel an, begonnen bei der Produktion von Speichel und Magensaft. Bauchspeicheldrüse und Galle arbeiten auf Hochtouren, was zur Folge hat, dass Aufspaltung und Verdauung von Eiweiß, Fett und Kohlehydraten optimiert werden. Das Ergebnis: Verdauungsbeschwerden oder Völlegefühl können deutlich vermindert werden. Außerdem beinhalten Lebensmittel mit Bittersubstanzen unter anderem Flavonoide, die Entzündungen eindämmen, sie verbessern die Resorption von Vitamin B12 aus dem Verdauungstrakt, regen die Basenbildung im Organismus an, unterstützen die Blutbildung und sollen dazu beitragen, Krankheitserreger aus dem Körper zu transportieren.

Viele gute Gründe also, dass Aperitif und Digestif in unserem Buch eine ganz besondere Stellung einnehmen – genauso wie die frischen Zutaten. Denn nur sie haben jene Inhaltsstoffe, die uns jung, schön und gesund halten. Convenience-Produkte, also Halbfertigprodukte, wie Obst aus der Dose oder dem Tetrapack, verlieren rasch an Qualität und Vitaminen, beinhalten dafür Aroma-, Farb- sowie Konservierungsmittel und ungesunde Stabilisatoren. Nur bei frischen und möglichst naturbelassenen Lebensmitteln können wir sicher sein, dass sie uns Jungbrunnen und Lebenselixier sind. Das heißt also auch, dass der fertige Fruchtsaft lieber im Regal stehen bleiben sollte, dafür darf in der Obstabteilung kräftig zugegriffen werden. In England und den USA wurde dieses Wissen schon längst in den Alltag übernommen: Frisch zubereitete Drinks namens Smoothie, die aus allerlei Obst- und Gemüsepürees gemixt werden, gehören dort zu einem wirklich guten Frühstück dazu. Je reiner und frischer, desto hochwertiger – so lautet die Devise. Bei unseren Cocktails gilt das natürlich für sämtliche Bestandteile.

Die Absicht von Albert Trummers neuartigen Cocktails ist es nicht, unseren Durst zu löschen. Vielmehr wollen sie uns etwas Gutes tun. Genuss und Gesundheit werden auf wunderbare Weise verquickt, und das mit nur ein paar Schlucken. Der Griff zu diesem so besonders gefüllten Cocktailglas verschafft uns unsere tägliche Obst- und Gemüseration und zusätzlich sämtliche wichtigen Inhaltsstoffe, die uns lange jung bleiben lassen.

Das ideale Rezept für Gesundheit, Schönheit und lang anhaltende Jugend lautet also: Man besinne sich auf Ursprüngliches, entdecke seit Jahrtausenden bekannte natürliche Heilmittel wieder, belebe diese und mixe sie mit den neuesten Erkenntnissen der modernen Anti-Aging-Medizin zu ausgeklügelten Drinks.

Cocktails aus Früchten, Kräutern, Gewürzen und hochwirksamen Alkoholika sind also sowohl nach ersten medizinischen Erkenntnissen der Ägypter als auch nach neuesten wissenschaftlichen Untersuchungen eine perfekte Möglichkeit, den persönlichen Lifestyle zu verbessern und sich jung, fit und schön zu halten. Aus diesem Blickwinkel ließen sich die ersten Apotheken und die damit verbundenen Erfindungen von Schnaps, Weinbrand oder Likören auch als Geburtsstunde der Cocktailbars bezeichnen und der Apotheker beziehungsweise der Druide als erster Barkeeper. Denn aus Medizin wurde ein Genussmittel, das – in Maßen genossen – seine gesundheitliche Wirkung bis heute nicht verfehlt.

In diesem Buch finden Sie zu jedem Drink einen Index, der illustriert, wie hoch die jeweilige antioxidative (AO), antiinflammatorische (AI) beziehungsweise chemopräventive (CP) Potenz auf einer fünfstufigen Skala einzustufen ist.

Albert Trummer mit seiner Crew vor der von ihm gegründeten Apotheke Bar im „Big Apple".

13

ALBERT TRUMMERS KREATIONEN: HIGHLIGHTS AUS DER APOTHEKE BAR

RITE OF PASSION

VORBEREITUNG: RITE-OF-PASSION-BASIS
1 Ananas
4 Sternanis
2 Stück Chipotle Paprika
8,5 cl Grand Marnier
8 Gewürznelken
10 Pfefferkörner
1 Flasche Mezcal

Die Ananas schälen, das Herz herausnehmen und das Fruchtfleisch klein hacken. Die Ananasstücke in eine Pfanne geben und mit den Sternanis aufkochen. Die übrigen Zutaten dazugeben und 30 Minuten kochen. Danach die Pfanne vom Herd nehmen, weitere 12 cl Grand Marnier über das Ananas-Gemisch gießen und flambieren. Rasten lassen und 1 Stunde in den Kühlschrank stellen. Nun Sternanis, Pfeffer und Nelken mit einem Sieb herausnehmen, den Rest der Mischung in einem Mixer mixen. Durch ein dünnes Sieb abseihen und in eine Aufbewahrungsflasche gießen.
Die Rite-of-Passion-Basis ist im Kühlschrank 3 Tage haltbar.

COCKTAIL
5 cl Rite-of-Passion-Basis
2 cl frischer Limettensaft
1/2 Teelöffel brauner Zucker
4 cl Mezcal

Alle Zutaten in einen Shaker geben, Eis hinzufügen, gut schütteln und in ein Martiniglas abseihen. Den Rand des Martiniglases mit einer Scheibe Grapefruit und Chipotle-Salz dekorieren.

STERNANIS
Bereits Ägypter, Kelten und Griechen kannten die enorme Heilkraft des Sternanis und verarbeiteten ihn etwa in die bekömmlichen „herbal wines". Der griechische Arzt Dioskurides kurierte mit dem Gewürz schon im 1. Jahrhundert n. Chr. allerlei Krankheiten. Der antiinflammatorische Effekt des Sternanis zeigt sich besonders beim Kampf gegen Viren. Und er ist es auch, der sich heute im einzig nachweislich wirksamen Grippemittel, Tamiflu, wiederfindet!

AO = antioxidative Potenz   AO ●●●●●
AI = antiinflammatorische Potenz   AI ●●●●●
CP = chemopräventive Potenz   CP ○○○○○

LAVENDER FIELDS

Vorbereitung: Lavendel-Extrakt

5 Stängel getrockneter Lavendel
2 cl frischer Limettensaft
2 Teelöffel brauner Zucker
2 Sternanis
1 Flasche Wermut

Alle Zutaten in einem Topf vermischen und 10 Minuten kochen. Die Mixtur in eine Aufbewahrungsflasche abseihen und ca. 10 Stunden im Kühlschrank rasten lassen.

Cocktail

5 cl Lavendel-Extrakt
4 cl Tequila
2 cl frischer Limettensaft
2 cl frisches Agavensirup
1 Schuss Grand Marnier

Alle Zutaten in einen Shaker geben, Eis hinzufügen und gut schütteln. In ein mit 1 Eiswürfel gefülltes Martini-glas abseihen.

LAVENDEL

Römische Legionäre trugen das heilsame Kraut auf ihren Feldzügen mit sich. Die antiseptische Wirkung half bei Wundheilung und zur Beruhigung vor Kämpfen. Der antiinflammatorische und antibakterielle Lavendel fand auch seinen Einsatz als Desinfektionsmittel in Krankenzimmern. Und Lavendelpflückerinnen blieben selbst am Höhepunkt der Tuberkuloseepidemie am Ende des 19. Jahrhunderts von der damals unheilsamen Krankheit verschont.

AO ●●●○○
AI ●●●●○
CP ●●●○○

18

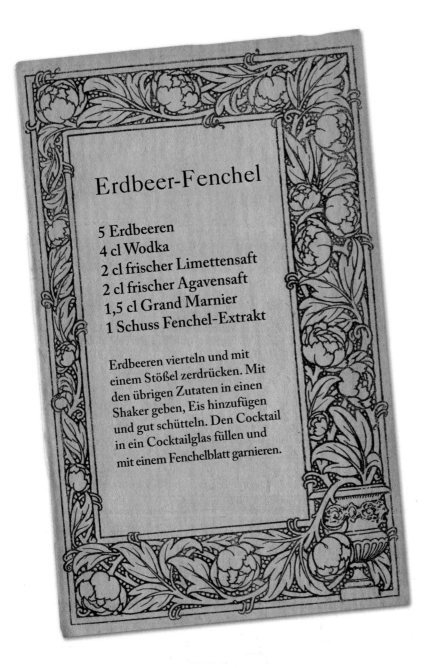

Erdbeer-Fenchel

5 Erdbeeren
4 cl Wodka
2 cl frischer Limettensaft
2 cl frischer Agavensaft
1,5 cl Grand Marnier
1 Schuss Fenchel-Extrakt

Erdbeeren vierteln und mit
einem Stößel zerdrücken. Mit
den übrigen Zutaten in einen
Shaker geben, Eis hinzufügen
und gut schütteln. Den Cocktail
in ein Cocktailglas füllen und
mit einem Fenchelblatt garnieren.

ERDBEERE

Die alchemistische Kraft
des Alkohols und die
schmackhaften Beeren
waren die Basis für die Idee
zu diesem Buch. Das von
den Alchemisten erfundene
Aqua ardens bzw. das magische Aqua vitae galt als
beste Medizin. Die positive
Wirkung der eingelegten
Früchte, Gewürze und
Kräuter schien sich durch
das lange Lagern im Alkohol
zu potenzieren. Das Resultat des Wunderwassers und
seines fruchtigen Inhalts ist
mittlerweile wissenschaftlich bewiesen. Hochprozentiger Alkohol speichert nicht
nur die antioxidative Wirkung der Früchte, er erhöht
die gesundheitsfördernden,
antiinflammatorischen und
antikanzerogenen Substan-
zen sogar um ein Vielfaches.

AO ●●●●●
AI ●●●○○
CP ●●●○○

Pygmy Gimlet

2 frische Kiwis
2 Scheiben frische Ananas
1,5 cl frischer Limettensaft
1 Teelöffel brauner Zucker
1 Schuss frischer Agavennektar
3 geschrotete, schwarze Pfefferkörner
4 cl Wodka
1 Scheibe frischer Ingwer

Kiwis schälen und in Achtel schneiden.
Mit den übrigen Zutaten in ein Rührglas
geben und mit einem Stößel zu Püree zerdrücken. Die Mischung in einen Shaker
abseihen, Eis hinzufügen, gut schütteln
und in ein Cocktailglas abseihen.

Kiwi

Die Kiwi hat es ganz schön drauf – zumindest was ihren Vitamin-C-Gehalt betrifft –, beim Gemüse kann da nur der Paprika mithalten. Mehr geht praktisch nicht: In 100 g Frucht stecken unglaubliche 200 mg Vitamin C, aber auch Eisen, Kalium und Vitamin A. Kiwis haben außerdem ein Herz für unser Herz. Die Aminosäure Arginin lässt das Blut besser durch unsere Adern fließen und verhindert so Arteriosklerose und Thrombosen. Durch das Enzym Actinidin sind Kiwis in der Lage, die Eiweißverdauung zu verbessern, ähnlich wie Papaya und Ananas. Sogar gegen Stress soll die kleine, grüne Frucht ankämpfen. Die in ihr enthaltene Aminosäure Tryptophan gilt als Vorläufer des Glückshormons Seratonin. Kiwis machen also, ähnlich wie Schokolade, glücklich – nur sind sie deutlich gesünder.

AO ●●●●○
AI ●●●○○
CP ●●●○○

Deal Closer

Vorbereitung: Vanille-Cognac

10 Vanilleschoten in eine Flasche Cognac einlegen, 24 Stunden rasten lassen.

Vorbereitung: Limetten-Extrakt

30 frische Limetten pressen und durch ein feines Sieb streichen.
1 l Wasser mit 1 kg Braunzucker aufkochen, abkühlen lassen, dann den Limettensaft dazurühren. Gekühlt aufbewahren.

Cocktail

3 Gurkenscheiben
8 Minzeblätter
4 cl Wodka
3 cl Limetten-Extrakt
1 Teelöffel Ziegenkraut-Blatt (online bestellbar)
1 Teelöffel Vanille-Cognac

Gurkenscheiben und Minzeblätter mit einem Stößel zerdrücken, die restlichen Zutaten dazugeben. Diese Mischung in einen Shaker füllen, Eis hinzufügen und gut schütteln. Einen großen Eiswürfel in ein Cocktailglas geben, die Mixtur aus dem Shaker zweimal abseihen und in das Cocktailglas gießen.

ZIEGENKRAUT
Chinesische Ziegenhirten sollen bereits im Altertum beobachtet haben, dass ihre Schützlinge nach dem Genuss dieser Kräuter sexuell außerordentlich aktiv wurden. Das süß-scharfe Grünzeug hilft nicht nur Ziegen – auch der Testosteronspiegel und die Spermienanzahl des Mannes werden erhöht, ebenso das Lustempfinden der Frau. Anregend wirkt das Ziegenkraut auch auf die Psyche und den restlichen Organismus.

AO ●●○○○
AI ●●○○○
CP ●●○○○

Femme Fatale

250 g frische, kernlose
Wassermelone
5 Himbeeren
1 Zweig Rosmarin
4 cl Wodka
2 cl Aperol
2 cl frische Limette

Wassermelone mit einem Stößel
zerdrücken, mit den übrigen
Zutaten in einen Shaker geben,
Eis hinzufügen und gut schütteln.
Den Inhalt in ein Sektglas
abseihen.

WASSERMELONE
Die Wassermelone hat trotz
ihres hohen Wassergehalts
(mehr als 90 Prozent) viele
innere Werte. Etwa – in
höchster Konzentration –
Superoxid Dismutase, eine
der stärksten antioxidativen
Substanzen und damit einer
der potentesten Radikalfänger. Es kommt also nicht
von ungefähr, dass Melonen-
extrakte in der hochwertigen pflanzlichen Kosmetik
immer öfter einen wichtigen
Stellenwert einnehmen.

AO ●●●●●
AI ●●●○○
CP ●●●○○

MAYAN SUMMER

4 cl frischer Mezcal
½ grüner Paprika, geschnitten
1 Blatt Koriander
2 Gurkenscheiben
2 cl frische Limette
1 Tropfen Paprikabitter
3 cl frischer Agavensaft

Alle Zutaten in einen kleinen Kochtopf
geben. Mit einem Stößel im Topf
zerdrücken, um die Aromen und Extrakte
zur Entfaltung zu bringen. Die Mischung
in einen Shaker geben, Eis hinzufügen
und gut schütteln. In ein Cocktailglas
abseihen.

KORIANDER

Koriander zählt zu den potentesten natürlichen Schwermetallbindern im Körper. Er mobilisiert Schwermetalle, etwa Quecksilber aus Amalgam oder Blei von eingeatmeten Autoabgasen, aus ihren Depots im Gewebe und macht sie einer Ausscheidung zugänglicher. Zusätzlich ist das Kraut entzündungshemmend und beruhigt die Nerven.

AO ●●●○○
AI ●●●○○
CP ●●●●●

FIVE POINTS

Vorbereitung: Hibiskus-Extrakt
Von 1 Flasche Cachaça etwa 10 cl entleeren, 25 getrocknete Hibiskus-knospen dazugeben und 24 Stunden rasten lassen.

Cocktail
10 Trauben
3 cl Limetten-Extrakt
4 cl Cachaça
1 Schuss Hibiskus-Extrakt
1 Schuss Albert Trummers Holunder-blüten-Extrakt von Staud's

Die Trauben mit einem Stößel zerdrücken und mit den übrigen Zutaten in einen Shaker geben, Eis hinzufügen und gut schütteln. In ein Cocktailglas füllen und servieren.

HIBISKUS

In der traditionellen chinesischen Medizin schon seit Jahrtausenden geschätzt, ist nun auch die klassische Schulmedizin auf den Geschmack der Blume gekommen. Ihr Extrakt und die in der Pflanze enthaltenen Antioxidantien können gefährliche Fettabbauprodukte in den Arterien reduzieren, den Bluthochdruck senken und gegen das LDL-Cholesterin ankämpfen.

AO ●●●○○
AI ●●●○○
CP ●●●○○

JASMINE SOUR

Vorbereitung: Ingwerpüree
100 g Ingwer in Scheiben schneiden, mit 5 cl Limettensaft und 2 Teelöffeln braunem Zucker pürieren und durch ein feines Sieb streichen.

Cocktail
3 cl Jasmintee
(Zimmertemperatur)
3 cl Limetten-Extrakt
4 cl Wodka
1,5 cl frisches Ingwerpüree
1 rohes Eiweiß

Alle Zutaten zusammenmixen, in einen Shaker geben, Eis hinzufügen und gut schütteln. In ein Stielglas gießen und mit Angosturabitter garnieren.

INGWER

Die Wunderknolle ist mehr als nur ein Scharfmacher in der Küche: Vollgestopft mit ätherischen Ölen und Scharfstoffen, wirkt Ingwer wie ein Ofen von innen, indem er die Durchblutung steigert. Gleichzeitig kämpft er gegen virale Infektionen an. Er regt den Gallefluss an, hilft somit, belastende Stoffe aus dem Körper auszuleiten, und verhindert sogar die Symptome der Reisekrankheit. In der ayurvedischen Medizin kommt Ingwer als Mittel gegen Migräne zum Einsatz.

AO ●●●○○
AI ●●●●●
CP ●●●○○

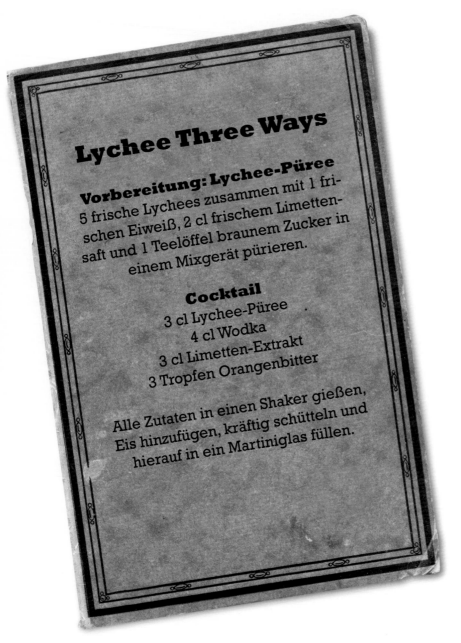

Lychee Three Ways

Vorbereitung: Lychee-Püree
5 frische Lychees zusammen mit 1 frischen Eiweiß, 2 cl frischem Limettensaft und 1 Teelöffel braunem Zucker in einem Mixgerät pürieren.

Cocktail
3 cl Lychee-Püree
4 cl Wodka
3 cl Limetten-Extrakt
3 Tropfen Orangenbitter

Alle Zutaten in einen Shaker gießen, Eis hinzufügen, kräftig schütteln und hierauf in ein Martiniglas füllen.

LYCHEE

Die kleinen, glitschigen Früchte wurden in Südchina bereits vor 300 v. Chr. nicht nur wegen ihres Geschmacks, sondern auch wegen ihrer inneren Werte geschätzt. Lychees zählten etwa zum Geheimrezept einer der Konkubinen des chinesischen Kaisers Xuanzongs, die als eine der „Vier Schönheiten" in die Geschichte einging. Sie enthalten reichlich Vitamin B2 und Vitamin C und wirken hautverschönernd.

AO ●●○○○
AI ●●○○○
CP ●●○○○

The Grape

VORBEREITUNG:
Vanille-Cognac
10 Vanilleschoten in eine Flasche
Cognac einlegen,
24 Stunden rasten lassen.

COCKTAIL
10 rote Trauben
4 cl Albert Trummers
Holunderblüten-Extrakt
von Staud's
4 cl Wodka
2 cl frischer Limettensaft
1 Teelöffel brauner Zucker
2 cl Vanille-Cognac

Die Trauben mit einem
Stößel zerdrücken und mit den restlichen
Zutaten in ein Cocktailglas geben.
Eiswürfel hinzufügen und
3 Minuten stehen lassen.

TRAUBEN

Man kann es nicht oft genug sagen: Die Weininhaltsstoffe Resveratrol und Quercetin haben auf den menschlichen Organismus eindeutig lebensverlängernde Wirkung. Vor allem in den roten Trauben ist Resveratrol in rauen Mengen vertreten. Beide Polyphenole verbessern nachweislich die Durchblutung und kämpfen gegen Sauerstoffradikale und somit beispielsweise gegen Herzinfarkt an.

AO ●●●○○
AI ●●●○○
CP ●●●○○

Brombeer-Kräutersatz

10 Brombeeren
2 cl frischer Limettensaft
3 cl Agavensaft
1 Lorbeerblatt
1 Thymianblatt
1 Tropfen Bergamotte-Öl
4 cl Wodka

Die Brombeeren mit einem
Stößel zerdrücken und mit den übrigen
Zutaten in einen Shaker geben,
Eis hinzufügen und gut schütteln.
In ein Cocktailglas abseihen.

BROMBEEREN

Grundsätzlich enthalten alle Beeren reichlich Anthocyane. Diese sind nicht nur als natürliche Lebensmittelfarben bekannt, sondern auch als sekundäre Pflanzenstoffe, die eifrig freie Radikale in den menschlichen Zellen fangen. Anthocyane besitzen eine hohe antiinflammatorische und antioxidative Wirkung und sollen zusätzlich die Sehkraft in Schwung bringen. Versuche haben gezeigt, dass der Verzehr von Brombeeren vor allem die Sehkraft in der Nacht und die Anpassung an veränderte Lichtverhältnisse deutlich verbessert.

AO ●●●○○
AI ●●●○○
CP ●●●○○

Himbeer-Kräuter-Elixier

7 Himbeeren
1 Tropfen Ginseng
2 cl frischer Yuzu-Saft
1 Schuss Rosenwasser
4 cl Gin
1 Teelöffel brauner Zucker

Die Himbeeren mit einem
Stößel zerdrücken, mit den
übrigen Zutaten in einen
Shaker geben, Eis hinzufügen
und gut schütteln.
In ein Cocktailglas gießen.

GINSENG

Die unscheinbare Wurzel
hat es ganz schön in sich:
Vitamin A-Komplex, B1, B2,
B12, Folsäure, Enzyme,
Aminosäuren, Peptide, Sa-
ponine, ätherische Öle und,
und, und. All diese Inhaltsstoffe machen den Ginseng
zu einem wahren Anti-
Aging-Helden. Ginseng
stärkt alle wesentlichen
Körperfunktionen und
schützt vor beinahe allen
negativen Einflüssen auf
den menschlichen Körper –
von biologischen bis psy-
chischen. Die Wurzel hilft
der Leber, Alkohol abzu-
bauen, stärkt das Herz-
Kreislaufsystem, senkt Bluthochdruck und das gefährliche LDL-Cholesterin, wirkt
Arteriosklerose und psy-
chischem Stress entgegen
und gilt auch als ausgezeich-
netes libido- und potenz-
steigerndes Mittel.

AO ●●●●●
AI ●●●○○
CP ●●●○○

Spicy Tomato

5 frische Cherrytomaten
3 frische Basilikumblätter
2 schwarze und rote Pfefferkörner
1 Schuss Paprika-Extrakt
4 cl Gin

Cherrytomaten, frisches Basilikum,
schwarze und rote Pfefferkörner,
Paprika-Extrakt und Gin in einem Shaker
mit einem Stößel zerdrücken. Eis hinzufügen
und gut schütteln. Die Mixtur in ein
Cocktailglas gießen. Mit Cherrytomaten
und Pfefferkörnern garnieren und den
Rand mit Himalayasalz bestreuen.

BASILIKUM

In allen Hochkulturen erkannte man schon früh die gesundheitsfördernde Wirkung von Basilikum. Bei den Indern ist die Pflanze sogar heilig – nicht ganz zu Unrecht, hat das wohlschmeckende Kraut doch einige heilsame Nebenwirkungen. Basilikum glänzt vor allem mit seinen hervorragenden entzündungshemmenden und antioxidativen Eigenschaften. Zusätzlich helfen die enthaltenen ätherischen Öle und Gerbstoffe gegen Übelkeit, Magenkrämpfe und bei Nierenentzündungen. Es wirkt appetitanregend und verscheucht durch seinen intensiven Duft lästige Fliegen.

AO ●●●●○
AI ●●●●○
CP ●●●●●

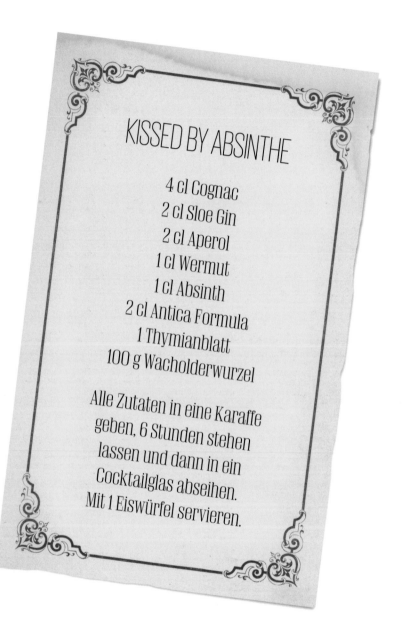

KISSED BY ABSINTHE

4 cl Cognac
2 cl Sloe Gin
2 cl Aperol
1 cl Wermut
1 cl Absinth
2 cl Antica Formula
1 Thymianblatt
100 g Wacholderwurzel

Alle Zutaten in eine Karaffe geben, 6 Stunden stehen lassen und dann in ein Cocktailglas abseihen. Mit 1 Eiswürfel servieren.

WACHOLDERWURZEL

In der Wurzel steckt die Kraft. Dort sammeln und konzentrieren sich sämtliche Heilkräfte der Pflanzen. So auch beim Wacholder, der dank seiner aktiven Inhaltsstoffe beinahe eine ganze Hausapotheke ersetzt. Von A wie antibakteriell bis Z wie Zahnfleischentzündungen – Wacholder macht sich für unsere Gesundheit stark.

ABSINTH

Besteht wie Wermut hauptsächlich aus dem Wermutkraut sowie, je nach Rezept, aus vielen weiteren Kräutern, die mit neutralem Alkohol destilliert werden. Der schlechte Ruf, der Absinth vorauseilt, rührt aus der Substanz Thujon, einem Bestandteil des ätherischen Öls des Wermuts, das bei Überdosierung zu Halluzinationen, Depressionen, Krämpfen und sogar Blindheit führen kann. Mit Wasser oder anderen milden Zutaten verdünnt, trägt Absinth bewiesenermaßen zur Gesundheitsförderung bei. So gilt es heute als bestätigt, dass Absinth bei Appetitlosigkeit, Beschwerden des Verdauungstraktes, zur Anregung der Leberfunktion und gegen krampfartigeStörungen des Darmtraktes hilft.

AO ●●○○○
AI ●●●●○
CP ●●○○○

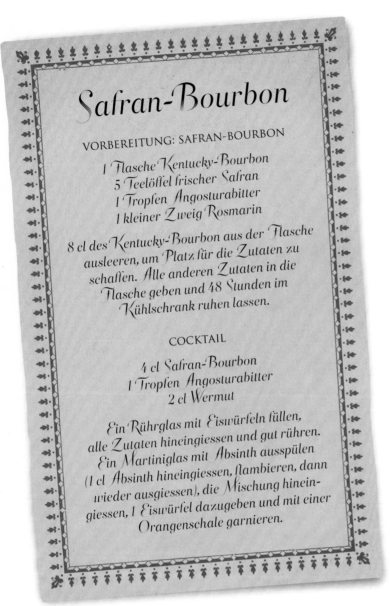

Safran-Bourbon

VORBEREITUNG: SAFRAN-BOURBON

1 Flasche Kentucky-Bourbon
5 Teelöffel frischer Safran
1 Tropfen Angosturabitter
1 kleiner Zweig Rosmarin

8 cl des Kentucky-Bourbon aus der Flasche ausleeren, um Platz für die Zutaten zu schaffen. Alle anderen Zutaten in die Flasche geben und 48 Stunden im Kühlschrank ruhen lassen.

COCKTAIL

4 cl Safran-Bourbon
1 Tropfen Angosturabitter
2 cl Wermut

Ein Rührglas mit Eiswürfeln füllen, alle Zutaten hineingiessen und gut rühren. Ein Martiniglas mit Absinth ausspülen (1 cl Absinth hineingiessen, flambieren, dann wieder ausgiessen), die Mischung hineingiessen, 1 Eiswürfel dazugeben und mit einer Orangenschale garnieren.

SAFRAN

Dieses edle Gewürz haben wir einer Krokus-Art zu verdanken. Heute hauptsächlich in Indien, China, dem Iran, aber auch in Spanien beheimatet, ist Safran aufgrund seiner aufwendigen Ernte eines der teuersten Gewürze der Welt. Bereits vor mehr als 3 500 Jahren wurde Safran in Rezepten für medizinische Zwecke erwähnt. Hypokrates verwendete Safran gegen so manche Krankheit, und im Venedig des 14. Jahrhunderts war der Handel mit Safran der sichere Weg zu Reichtum und Ruhm. Was so elitär ist, wird natürlich gerne gefälscht – also aufpassen, dass Sie keinem Schwindel aufliegen. Abgesehen vom edlen Geschmack des vornehmen Gewürzes, helfen dessen Inhaltsstoffe besonders gut bei Menstruationsbeschwerden und wurden bei Geburten als Hilfe gegen Krämpfe und zur Beruhigung verabreicht. Doch Achtung: Eine Überdosis kann zu Halluzinationen führen.

AO ●●●○○
AI ●●●○○
CP ●●●○○

Ciao Bella Aubergine

1 Scheibe frische Aubergine
1 Blatt Rosmarin
1 Blatt Basilikum
4 cl dunkler Rum
1 Tropfen Angosturabitter

Alle Zutaten in ein Rührglas geben und 1 Stunde ziehen lassen. Danach Eiswürfel dazugeben, gut rühren und in ein Cocktailglas abseihen. Mit Basilikum, Rosmarin und Aubergine garnieren.

AUBERGINE

Rund 4000 Jahre kennt und schätzt man die Aubergine bereits in asiatischen Gefilden. Dem Nachtschattengewächs muss man zwar geschmacklich mit allerhand Gewürzen unter die Arme greifen, gesundheitlich hat es aber die Nase vorne. Die in dem violetten Gemüse enthaltenen Bitterstoffe wirken entkrampfend, entspannend und positiv auf die Verdauung. Terpene – bioaktive Substanzen – zeigen ihre antiinflammatorische, antioxidative und auch antikanzerogene Kraft und hemmen freie Radikale. Vitamin B1 stärkt das Nervenkostüm, Vitamin B3 Haare und Haut.

AO ●●●○○
AI ●●●○○
CP ●●●○○

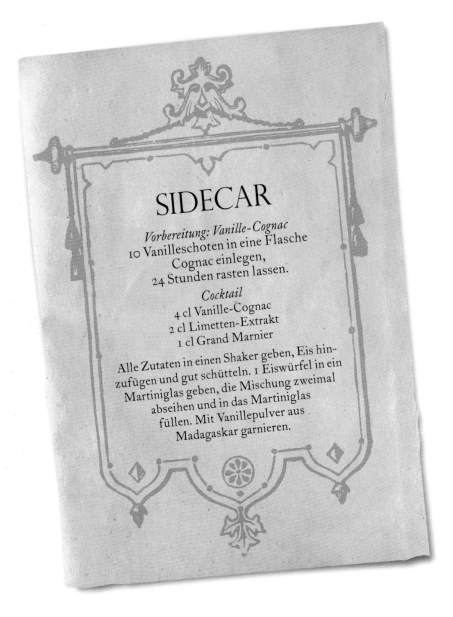

SIDECAR

Vorbereitung: Vanille-Cognac
10 Vanilleschoten in eine Flasche
Cognac einlegen,
24 Stunden rasten lassen.

Cocktail
4 cl Vanille-Cognac
2 cl Limetten-Extrakt
1 cl Grand Marnier

Alle Zutaten in einen Shaker geben, Eis hinzufügen und gut schütteln. 1 Eiswürfel in ein Martiniglas geben, die Mischung zweimal abseihen und in das Martiniglas füllen. Mit Vanillepulver aus Madagaskar garnieren.

VANILLE

Die kostbare Vanille wird gerne als Königin der Gewürze bezeichnet. Der betörende Duftstoff der aus dem mexikanischen Regenwald stammenden Pflanze diente bereits den Ureinwohnern Südamerikas als Aphrodisiakum – kein Wunder, ist er doch chemisch mit den Sexuallockstoffen (Pheromonen) des Menschen verwandt. Nicht umsonst wird ihr angenehm süßlicher Geruch häufig Parfums und Kosmetika zugefügt.

AO ●●●○○
AI ●●●○○
CP ●●●○○

KRÄUTER JULEP

4 cl Bourbon
2 getrocknete Lorbeerblätter
2 Pimentkörner
2 cl Wermut
1 Tropfen Angosturabitter
10 ganze Minzeblätter
2 cl frischer Limettensaft
1 Teelöffel brauner Zucker

Bourbon, Lorbeerblätter, Piment, Wermut und Angosturabitter in einen Topf gießen und auf dem Herd bei mittlerer Hitze zum Kochen bringen. Abkühlen lassen. Alles gemeinsam mit den Minzeblättern, Limettensaft und dem braunen Zucker in einen Shaker geben, Eis hinzufügen und gut schütteln. In ein Cocktailglas abseihen, 1 Eiswürfel dazugeben und mit 1 Lorbeerblatt garnieren.

MINZE

Die Minze ist ein faszinierendes Heilkraut, das häufig bereits in ägyptischen Gräbern als Grabbeigabe entdeckt wurde. Mittlerweile ist bewiesen, dass sie krampflösend und antibakteriell wirkt. Das enthaltene Menthol ist kühlend und schmerzlindernd, sie gilt als magenfreundlich und hat wohl auch schon so manches Gallenleiden gemildert. Außerdem wirkt Minze gefäßerweiternd, wodurch auch die stark belebende Wirkung des Krautes erklärt werden kann. Aufgepasst bei zu hoher Dosierung, denn durch die Minze kann es wegen ihrer psychogenen und neuroaktiven Wirkung durchaus zu rauschähnlichen Zuständen kommen.

AO ●●●●○
AI ●●●●○
CP ●●●●○

HEMINGWAY SPECIAL

10 große Minzeblätter
5 Wacholderbeeren
5 Goji-Beeren
2 cl Limetten-Extrakt
4 cl dunkler Rum
1 Tropfen Angosturabitter

Die Zutaten der Reihe nach in einen Shaker geben, Eis hinzufügen und gut schütteln. Alles in ein mit 1 Eiswürfel gefülltes Martiniglas abseihen und mit 1 Blatt Minze garnieren.

GOJI-BEERE

Sie gilt derzeit als absolute Superbeere unter den Anti-Aging-Naturprodukten. Nach der traditionellen chinesischen Medizin fördert sie die Lebenskraft, stärkt den Organismus und unterstützt Schönheit und Jugendlichkeit. Neueste wissenschaftliche Untersuchungen bestätigen den guten Ruf des beerigen Jungbrunnens. 21 verschiedene Spurenelemente, 19 Aminosäuren, jede Menge Carotinoide, mehr Vitamin C als Orangen, Vitamin E und den gesamten B-Komplex sowie essenzielle Fettsäuren und Sesquiterpenoid enthält das Superfood und arbeitet so aktiv gegen Entzündungen, Viren, Bakterien und sogar Krebs.

AO ●●●●○
AI ●●●●●
CP ●●●●○

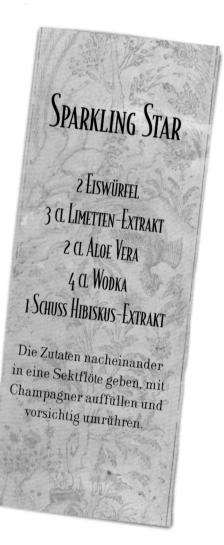

SPARKLING STAR

2 Eiswürfel
3 cl Limetten-Extrakt
2 cl Aloe Vera
4 cl Wodka
1 Schuss Hibiskus-Extrakt

Die Zutaten nacheinander in eine Sektflöte geben, mit Champagner auffüllen und vorsichtig umrühren.

ALOE VERA

Alexander der Große wurde vor seinen Feldzügen nach Indien von seinen Militärärzten gezwungen, sich mit ausreichend Aloe Vera einzudecken, um Krankheiten und Verletzungen die kalte Schulter zeigen zu können. Hinter der unscheinbaren Fassade der bereits in der Antike bekannten Heilpflanze steckt also eine geballte Kraft aus wirksamen Inhaltsstoffen. Innerlich wie äußerlich angewandt, versteht es die Wüstenpflanze zu helfen. Sie eignet sich durch ihre antiseptische Wirkung ausgezeichnet zur Wunddesinfektion, beschleunigt die Zellerneuerung und somit den Heilungsprozess, wirkt positiv auf gereizte Magen- und Darmschleimhäute und hilft sogar bei Verletzungen des Bewegungsapparates wie etwa Muskelzerrungen, aber auch bei Arthrosen. Ihr hoher Feuchtigkeitsgehalt macht sie auch bei Kosmetika beliebt. Kaum eine andere Pflanze kann mit einer so dichten Konzentration von beinahe Wunder wirkenden Inhaltsstoffen aufwarten.

AO ●●●●○
AI ●●●●●
CP ●●●●○

ACTEC

MARGARITA

4 cl Tequila
1 frische Habanero-Chili
1 Schuss Paprikabitter
2 cl frischer Limettensaft
2 cl Aloe Vera
1 cl Agavensirup

Alle Zutaten in einen Shaker geben, Eis hinzufügen, gut schütteln und in ein Cocktailglas abseihen. Den Rand des Glases mit Himalayasalz und Chipotle-Salz versehen.

TEQUILA UND AGAVENSIRUP

Der süße, klebrige Saft der Agave ist Hauptbestandteil des kräftigen Schnapses und diente bereits den Azteken als entzündungshemmendes Heilmittel bei Verwundungen. Die Agave ist eine Überlebenskünstlerin, die sich aus eigener Kraft gegen die immense UV-Bestrahlung schützen muss. Je höher der klimatische Stress einer Pflanze, desto mehr Phytoalexine, also Pflanzenabwehrstoffe, bildet sie. Und diese kommen uns als ideale Anti-Aging-Substanzen mit beachtlicher antioxidativer wie auch antiinflammatorischer Wirkung zugute – und zwar sowohl im Destillat als auch im Sirup, dem im Vergleich zu Zucker deutlich „gesünderen" Süßungsmittel. Die Kombination von Tequila und Agavensirup im Margarita bringt also gleich doppelt so viele Wirkstoffe, die sich positiv auf unsere Gesundheit auswirken.

AO ●●●●○
AI ●●●●○
CP ●●●●○

THE SMOKING JACKET

4 cl Islay Scotch Whisky
1 Teelöffel Agavensaft
1 Handvoll Piment
1 cl frischer Limettensaft
Zitronenschale

Whisky, Agavensaft, Piment
und Limettensaft in eine Karaffe
gießen, die Zitronenschale
dazureiben und alles 3 Stunden
im Kühlschrank ruhen lassen.
Dann in einen mit 3 Eiswürfeln
gefüllten Whiskey-Tumbler
abseihen.

PIMENT

Nelkenpfeffer, Neugewürz
oder Jamaikapfeffer wird
Piment unter anderem ge-
nannt – kein Wunder, riecht
er doch sowohl nach Pfeffer
als auch etwas nach Ge-
würznelke, Zimt und Mus-
kat. Piment enthält ätherische Öle, allen voran Euge-
nol, das sich durch seine
schmerzstillende, antibakterielle und entzündungs-
hemmende Wirkung aus-
zeichnet. Das Gewürz regt
Speichelfluss und somit den
Appetit an und lindert – zer-
stoßen und gekocht –
Rheuma und Neuralgien.

AO ●●●○○
AI ●●●●○
CP ●●●○○

HERB FASHION

2 cl Bénédictine
3 cl Gin
2 cl weißer Wermut
1 cl Campari
1 Tropfen Angosturabitter
1 Ingwerscheibe

Alle Zutaten in ein
Rührglas füllen,
Eiswürfel dazugeben,
leicht umrühren und
in ein Cocktailglas
gießen.

BÉNÉDICTINE

Die geheime Rezeptur des aus 27 unterschiedlichen Kräutern und Gewürzen bestehenden Likörs entstammt einer Benediktinerabtei in Frankreich. Die bekömmliche Mischung aus Kardamom, Vanille, Safran, Arnika, Koriander etc. tat nicht nur der Gesundheit der Mönche des 16. Jahrhunderts gut, auch Femme fatal Alma Mahler-Werfel war eine große Verfechterin des hochprozentigen Heilmittels und verzichtete keinen Tag auf ihren Bénédictine.

AO ●●●●●
AI ●●●●○
CP ●●●●●

Lavendel und Ananas

Vorbereitung: Vanille-Cognac
10 Vanilleschoten in eine Flasche Cognac einlegen,
24 Stunden rasten lassen.

Cocktail
2 Scheiben frische Ananas
1 Stängel Lavendel
4 cl Vanille-Cognac
2 cl frischer Limettensaft
2 cl Grand Marnier
2 cl Aloe Vera

Ananas und Lavendel mit einem
Stößel zerdrücken und mit den übrigen Zutaten in ein
Rührglas geben. Eiswürfel dazugeben, leicht
umrühren und in ein Cocktailglas abseihen.

ANANAS

Die Ananas macht nicht nur unseren Geschmacksnerven Freude, sondern tut auch so einiges dazu, damit wir uns gesünder, schöner und wohler fühlen. Die enzymreiche Frucht spendet der Haut Feuchtigkeit, erneuert die Zellen und wirkt als potenter Fettverbrenner. Zusätzlich sagt sie sogar Muskelkrämpfen den Kampf an, beugt Arterienverkalkung vor und hilft, weiße und rote Blutkörperchen zu bilden. Die ebenfalls enthaltene Aminosäure Tryptophan – eine Vorstufe des „glücksbringenden" Seratonin – sorgt für gute Laune und Ausgeglichenheit.

AO ●●●○○
AI ●●●○○
CP ●●●○○

DILLE UND FEIGE

1 kleiner Zweig Dille
3 Feigen
1 kleiner Zweig Thymian
4 cl Gin
2 cl frischer Limettensaft
1 Tropfen Angosturabitter

*Die Zutaten in ein Rührglas
geben, mit einem Stößel
zerdrücken und Eiswürfel
dazugeben. Leicht umrühren
und in ein Cocktailglas
abseihen.*

FEIGE

Seit dem Feigenblatt, das Adam und Eva ihre Blöße bedeckte, kann man mit Fug und Recht sagen, die Feige nimmt einen besonderen Stellenwert unter den Früchten ein. In der Bibel wird sie als eine der Früchte des gelobten Landes erwähnt, sowohl bei den Etruskern als auch bei den Römern zählte die Feige neben Olivenbaum und Rebstock zu den heiligen Pflanzen. Ihren Sonderstatus hat sie auch ihren heilenden Kräften zu verdanken. Sie enthält verdauungsfördernde Enzyme, bakterientötende Substanzen und reichlich Ballaststoffe, Kalzium sowie Magnesium und wirkt schmerzlindernd, gegen Bronchitis, Entzündungen und bei Gallensteinen.

AO ●●●○○
AI ●●●●○
CP ●●●○○

Peachy Keen

Vorbereitung: Vanille-Cognac
10 Vanilleschoten in eine Flasche Cognac einlegen,
24 Stunden rasten lassen.

Cocktail

1 FRISCHER PFIRSICH
2 CL SOJAMILCH
2 CL AGAVENSIRUP
2 CL GRAND MARNIER
1 CL VANILLE-COGNAC
3 CL CHAMPAGNER

Den Pfirsich in Scheiben schneiden und mit den übrigen
Zutaten — außer Champagner — in ein Rührglas geben, mit
einem Stößel zerdrücken und Eiswürfel dazugeben.
Leicht verrühren, in ein Cocktailglas abseihen und mit
Champagner auffüllen.

PFIRSICH

Abgesehen davon, dass Champagner – durch seine bekannt günstige Wirkung (moderat getrunken) vor allem auf Herz-Kreislauf-Erkrankungen – und Pfirsichfruchtmark eine unvergleichliche geschmackliche Kombination bilden, hilft der Pfirsich auch sehr, die Gesundheit anzukurbeln. Durch seinen extrem hohen Anteil an Eisen, Kalium und Kalzium wird er auch gerne als König des Steinobstes bezeichnet. Der hohe Anteil an sekundären Pflanzeninhaltsstoffen, die für ihre anregende Wirkung auf Darm und Nieren bekannt sind, kann sich aber ebenso sehen lassen. Nicht unerwähnt sollte bleiben, dass auch unsere Haut von den wertvollen Inhaltsstoffen des Pfirsichs profitiert.

AO ●●●○○
AI ●●○○○
CP ●●●○○

Del Spirito

2 frische Feigen
1 Tropfen Nelken-Öl
1 Tropfen Angosturabitter
4 cl dunkler Rum
2 cl frischer Limettensaft
1 Teelöffel brauner Zucker
1 Tropfen Ginseng

Alle Zutaten in ein Rührglas geben,
mit einem Stößel zerdrücken
und Eiswürfel dazugeben.
Leicht verrühren und in ein
Cocktailglas abseihen.

KARDAMOM

Kardamom war bereits vor 3000 Jahren bei den Assyrern und Chinesen ein begehrtes Gewürz und Heilmittel. Seine medizinische Wirkung verdankt das Gewürz seinen ätherischen Ölen, die Krämpfe lindern, die Verdauung anregen, das Nervensystem beruhigen und auch bei Menstruationsbeschwerden helfen können. Ganz nebenbei bekämpfen sie – werden die Gewürzkapseln gekaut – Mundgeruch. Die Inder wissen wohl, weshalb sie Kardamom traditionell wie Kaugummi verwenden.

AO ●●●○○
AI ●●●●○
CP ●●●○○

70

Champagne Royale

250 g Wassermelone
1 Lorbeerblatt
2 cl Gelée Royale
2 cl frischer Limettensaft
1 Teelöffel brauner Zucker
Champagner

*Alle Zutaten – außer Champagner –
in ein Rührglas geben, mit einem
Stößel zerdrücken und Eiswürfel
dazugeben. Leicht verrühren.
In ein Cocktailglas abseihen und mit
Champagner aufgießen.*

GELÉE ROYALE

Dass der spezielle Futtersaft der Bienen etwas Einzigartiges an sich haben muss, erkannten bereits die Ägypter und verabreichten diesen Superdrink den Pharaonen. Das geniale Gemisch lässt aus einer genetisch unauffälligen Biene eine um ein Vielfaches größere Königin entstehen, die zudem eine bis zu 15 Mal längere Lebensdauer als normale Bienen besitzt: Ein Paradebeispiel dafür, wie die Ernährung unsere Gene beeinflusst. Vor allem die extrem kurzkettigen Aminosäuren des Gelée Royal sowie hormonähnliche Verbindungen sind es, die den besonderen Anti-Aging-Effekt auslösen. Nur ein halbes Gramm des natürlichen Schönheitselixiers versorgt den menschlichen Körper mit nahezu allen notwendigen Vitaminen.

AO ●●●●○
AI ●●●●○
CP ●●●●○

OREGANO-THYMIAN

3 cl roter Wermut
2 cl Campari
1 cl trockener Oregano
1 Zweig Thymian
2 cl Grand Marnier

*Alle Zutaten in ein Rührglas geben,
Eiswürfel dazugeben, leicht verrühren.
In ein Cocktailglas abseihen.*

OREGANO UND THYMIAN
Die absoluten Klassiker in
der mediterranen Küche
sind nicht nur auf jeder
Pizza und Pasta unverzicht-
bar, sondern können sich
mit dem heilsamen Olivenöl
durchaus messen. Denn die
starke antiinflammatorische
und antioxidative Potenz
von Thymian und Oregano
ist wissenschaftlich nachge-
wiesen. Römer und Grie-
chen wussten um die Wun-
derkräuter aber schon im
Altertum und verwendeten
die Gewürze sowohl zum
Konservieren von Speisen
als auch zum Desinfizieren.
Erst kürzlich wurde auch
ihre günstige Wirkung auf
Insulinresistenz bestätigt.
Das heißt: Reichlich Ore-
gano und Thymian im Essen
kann Altersdiabetes entge-
genwirken.

AO ●●●●○
AI ●●●●○
CP ●●●●○

74

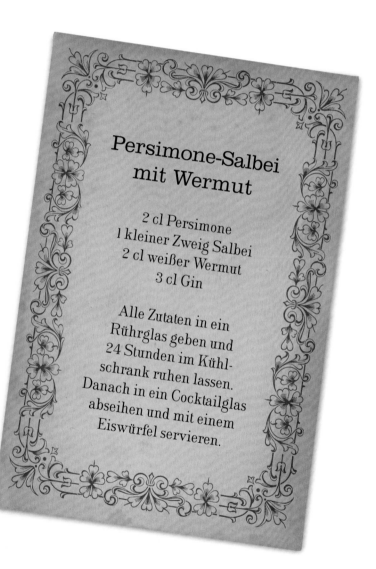

Persimone-Salbei mit Wermut

2 cl Persimone
1 kleiner Zweig Salbei
2 cl weißer Wermut
3 cl Gin

Alle Zutaten in ein
Rührglas geben und
24 Stunden im Kühl-
schrank ruhen lassen.
Danach in ein Cocktailglas
abseihen und mit einem
Eiswürfel servieren.

SALBEI

Kein anderes mediterranes Gewürz hat eine ähnliche starke pharmakologische Wirkung wie Salbei. Allein der Name (salvare = heilen) weist schon darauf hin, dass man bereits im Altertum kein Geheimnis um seine Heilkräfte machte. Als Mutter aller Heilpflanzen gilt Salbei als Geheimwaffe gegen fast alle Wehwehchen – von A wie Angina bis Z wie Zahnfleischentzündungen. Der im frühen Mittelalter lebende persische Arzt Avicenna brachte die Potenz des Krautes mit folgenden Worten auf den Punkt: „Wie kann ein Mensch sterben, der Salbei in seinem Garten hat?"

AO ●●●●●
AI ●●●●●
CP ●●●●○

ALBERT'S ELDERFLOWER CHAMPAGNE

5 cl Albert Trummers Holunderblüten-Extrakt von Staud's
3 cl Champagner

Holunderblüten-Extrakt in ein
Rührglas geben, Eiswürfel ergänzen
und leicht verrühren. Champagner
dazugießen und in ein Sektglas
abseihen.

HOLUNDER

Der Holunderbaum zählte
bereits bei den Kelten zu
jenen Pflanzen, denen magische Kräfte nachgesagt wurden. Und tatsächlich sind
die in ihm wohnenden Heilkräfte außergewöhnlich. So
gut wie jeder Bestandteil des
Holunders kann zu Heil-
zwecken eingesetzt werden.
Die Blätter – zu einer Salbe
verarbeitet – helfen bei Entzündungen, die Blüten – als
Tee – gegen Grippe, Bron-
chitis, aber auch Zahn-
schmerzen. Die Beeren, die
vor Vitamin C, B, ätheri-
schen Ölen, Flavonoiden
und Anthocyan nur so strot-
zen, schützen den Körper
vor freien Radikalen, sind
also stark antioxidativ, helfen aber auch bei Neural-
gien oder Rheuma.

AO ●●●●○
AI ●●●○○
CP ●●●○○

PIMM'S CUP MIT SALBEI UND BASILIKUM

5 cl Pimm's Cup
1 cl frischer Limettensaft
1 kleiner Zweig Salbei
1 Tropfen Angosturabitter
4 Basilikumblätter
8 cl Ginger Ale
1 Scheibe Gurke

Alle Zutaten in ein Rührglas geben und
2 Stunden im Kühlschrank ruhen lassen.
In ein Cocktailglas abseihen und mit Salbei
und Basilikum garnieren.

PIMM'S

Neben Gin und Chinin ist es vor allem eine geheime Gewürzkräutermischung, die dem in Großbritannien entstandenen alkoholischen Getränk sein frisch-fruchtiges Aroma verleiht. Man munkelt, Gewürze wie Myrrhe, Angelikawurzel, Kampfer oder Muskat sollen enthalten sein. Ob der britische Prinz William Pimm's wegen der ausgeklügelten Kräutermischung zu einem seiner liebsten Drinks erkoren hat, ist zwar fraglich. Aber immerhin sind es genau diese Kräuter, die aus einem banalen Likör einen heilsamen Anti-Aging-Drink entstehen lassen.

AO ●●●●○
AI ●●●●○
CP ●●●●○

Erdbeer- und Tamarinde-Margarita

5 frische Erdbeeren
1 cl Tamarinde
4 cl Tequila
2 cl Aloe-Vera-Saft
1 cl Limettensaft
1 Schuss Wacholderbeeren-Extrakt

Alle Zutaten mit einem Stößel in einem Rührglas zerdrücken, Eiswürfel dazugeben, leicht verrühren und in ein Cocktailglas gießen.

TAMARINDE

Die kleine, saure Frucht des aus Südasien stammenden Busches ist nicht nur wegen ihres hohen Vitamin-C-Gehaltes in der thailändischen Medizin bekannt. Vor allem wegen der reichlich enthaltenen Fruchtsäuren findet man Tamarinde auch immer häufiger in kosmetischen Artikeln. Hydroxycitronensäure soll außerdem als Enzymblocker wirken – also jene Enzyme hemmen, die im Fettstoffwechsel dafür zuständig sind, Kohlenhydrate in Fette umzuwandeln.

AO ●●●●○
AI ●●●●●
CP ●●●●○

Grüner Paprika, Zitronenstrauch und Dille

1/2 Scheibe grüner Paprika
4 Zitronenstrauch-Blätter
1 kleiner Zweig Dille
4 cl Wermut
1 Tropfen Angosturabitter
Champagner

Alle Zutaten – außer Champagner –
in einen Shaker geben,
Eis hinzufügen und gut schütteln.
In ein Cocktailglas abseihen,
mit Champagner aufgießen.

HIBISKUS SOUR

5 cl Bourbon
1 cl Hibiskus-Extrakt
1 Tropfen Angosturabitter
1 rohes Eiweiß
1 cl frischer Limettensaft
1 Teelöffel brauner Zucker

Alle Zutaten in einen Shaker
geben, Eis hinzufügen,
gut schütteln und in
ein Cocktailglas gießen.

EIWEISS

Hühnereiweiß, jedoch nicht Eigelb, gilt als eine der idealsten Aminosäurequellen, da es als einziges tierisches Eiweiß vollkommen vom menschlichen Körper umgewandelt wird. Das heißt, mit 100 g Hühnerprotein können 100 g Körpereiweiß aufgebaut werden. Eiweiß ist einer der wichtigsten Bausteine der meisten lebenswichtigen Enzyme und hoch differenzierten Gewebe und wirkt zu 100 Prozent antiinflammatorisch. Eigelb hingegen wirkt stark inflammatorisch.

AO ●●○○○
AI ●●●○○
CP ●●○○○

Wermut mit Hibiskus und
Champagner

4 cl Wermut
1 cl Hibiskus-Extrakt
4 cl Cognac
1 Teelöffel brauner Zucker
4 cl Champagner

Alle Zutaten – außer
Champagner – in ein Rührglas
mit Eis geben, leicht verrühren
und in ein Cocktailglas gießen.
Mit Champagner auffüllen.

WERMUT

Besteht aus aufgespritetem Wein und dem namengebenden Wermutkraut, in dem so manche Heilkraft steckt. So hat Wermutkraut eine stimulierende Wirkung auf das Nervensystem, regt Appetit und Verdauung an und wirkt gegen krampfartige Störungen von Darm und Galle. Das heißt, Wermut ist – in Maßen getrunken – sowohl als Aperitif als auch als Digestif ein willkommener Helfer bei Alltagsbeschwerden. Eine Überdosierung kann jedoch zu einer Störung des zentralen Nervensystems führen.

AO ●●○○○
AI ●●○○○
CP ●●○○○

CHIPOTLE VANILLE

Vorbereitung: Vanille-Cognac
10 Vanilleschoten in eine Flasche Cognac einlegen,
24 Stunden rasten lassen.

COCKTAIL
2 cl Vanille-Cognac
4 cl Mezcal
1 cl geriebene Kakaobohnen
1 Tropfen Chili-Chipotle-Öl
1 Tropfen Angosturabitter
1 cl Frischer Limettensaft
2 cl Agavensirup

Alle Zutaten in einen Shaker geben,
Eis hinzufügen, gut schütteln und in ein
Cocktailglas abseihen.

CHIPOTLE UND CHILI

Chipotle sind durch Räuchern konservierte Jalapeño-Chilis, die wie Chili zusätzlich zu ihrer interessanten Geschmackskomponente auch der Gesundheit einheizen. Chilis sind reich an Vitamin C, B1, B2 und B6 und regen durch den Scharfmacher Capsaicin vor allem den Stoffwechsel und die Durchblutung an. Das heißt, die bioaktiven Stoffe werden wirksamer und schneller aufgenommen. Nicht zu vergessen: Eine bessere Durchblutung hilft auch der Libido wieder auf die Sprünge.

AO ●●●○○
AI ●●●●○
CP ●●●○○

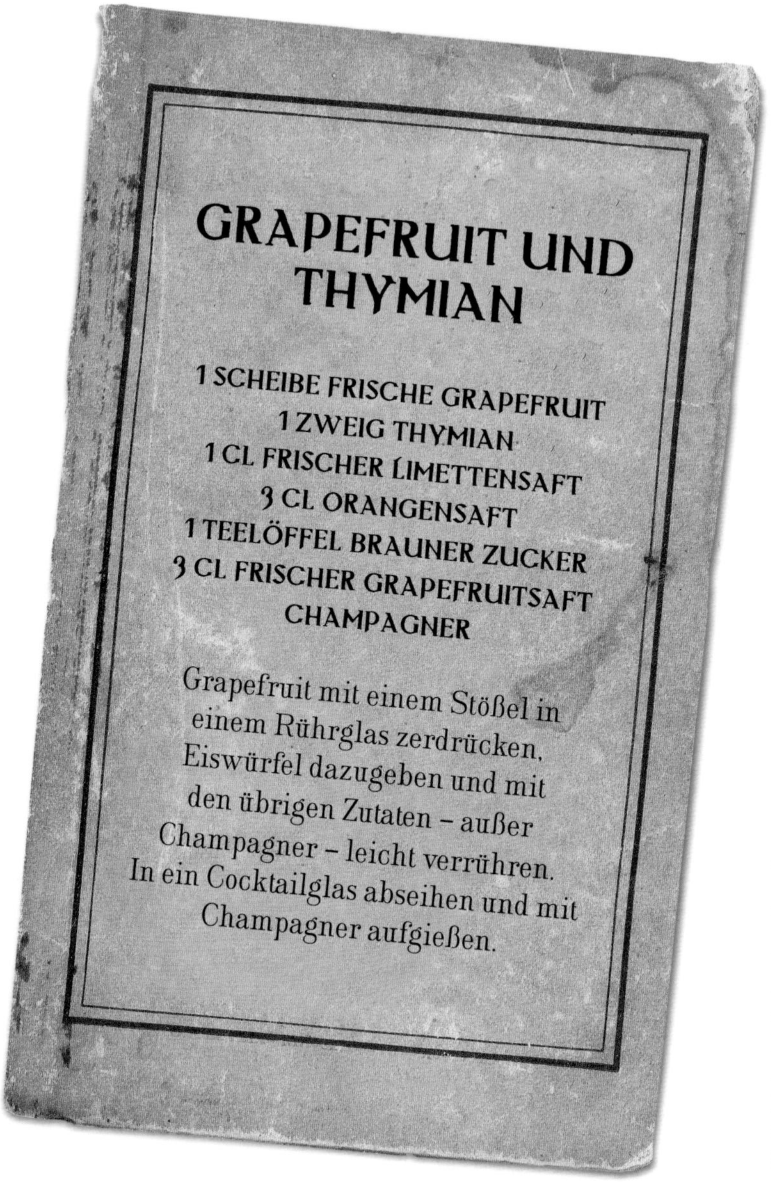

GRAPEFRUIT UND THYMIAN

1 SCHEIBE FRISCHE GRAPEFRUIT
1 ZWEIG THYMIAN
1 CL FRISCHER LIMETTENSAFT
3 CL ORANGENSAFT
1 TEELÖFFEL BRAUNER ZUCKER
3 CL FRISCHER GRAPEFRUITSAFT
CHAMPAGNER

Grapefruit mit einem Stößel in einem Rührglas zerdrücken, Eiswürfel dazugeben und mit den übrigen Zutaten – außer Champagner – leicht verrühren. In ein Cocktailglas abseihen und mit Champagner aufgießen.

GRAPEFRUIT
Diese Zitrusfrucht soll die Fettverbrennung ordentlich ankurbeln. Reich an Galacturonsäure und natürlichem Pektin, hilft sie, Cholesterin und Fett abzubauen. Außerdem enthält sie jede Menge Bioflavonoide die starke antioxidative Wirkung haben. Die Enzyme der Grapefruit helfen, den Insulinspiegel im Griff zu behalten.

AO ●●●○○
AI ●●●●○
CP ●●●○○

MEZCAL MIT HIMALAYASALZ

4 cl Mezcal
2 cl Aloe Vera
2 cl blauer Agavennektar
1 cl Limettensaft
2 Teelöffel brauner Zucker

Alle Zutaten in einen Shaker geben,
Eis hinzufügen und gut schütteln.
In ein Cocktailglas abseihen, den Rand des
Glases mit Himalayasalz versehen.

MEZCAL

So nennt sich eine mexikanische Spirituose mit rund 40 Volumsprozent Alkohol. Die Basis des hochprozentigen Wässerchens ist das Fleisch der Agave, die als Heilpflanze seit Jahrtausenden Furore macht. Der Grund, weshalb die Agave so viele potente Anti-Aging-Wirkstoffe in sich birgt, sind ihre extremen Lebensumstände. Wie auch die Wüstenlilie Aloe Vera, ist sie bedingungslos den außergewöhnlichen Wetterlagen ihres Standortes ausgesetzt: Trockenheit, immense UV-Bestrahlung tagsüber, klirrende Kälte nachts. Um diesen Umwelteinflüssen zu begegnen, schafft sie sich hoch aktive Schutzmechanismen an. Im hochprozentigen Alkohol werden die Wirkstoffe nochmals potenziert und dynamisiert.

AO ●●●○○
AI ●●●○○
CP ●●●○○

HIBISKUS, SÜSSER WERMUT UND BÉNÉDICTINE

1 cl Hibiskus-Extrakt
2 cl süßer Wermut
1 cl Bénédictine
1 cl Limettensaft
2 cl Albert Trummers Holunderblüten-
Extrakt von Staud's

Alle Zutaten in einen Shaker geben,
Eis hinzufügen und gut schütteln.
In ein Cocktailglas abseihen und
1 Eiswürfel dazugeben.

ALOE-VERA-DRINK

3 cl Aloe-Vera-Saft
1 cl Gelée Royale
2 cl Honig
1 Tropfen Angosturabitter
1 cl frischer Limettensaft
1 Teelöffel brauner Zucker
2 cl Champagner

Alle Zutaten – außer
Champagner – in ein Rührglas
geben und leicht verrühren.
In ein Sektglas abseihen und
mit Champagner auffüllen

Rudolf Geist, Stuttgart.

ANGOSTURABITTER

Angostura zählt zu den bekanntesten wie beliebtesten Bitterlikören. Er wurde Anfang des 19. Jahrhunderts vom deutschen Arzt Johann G. B. Siegert in der venezolanischen Stadt Angostura (heute Ciudad Bolívar) gegen die dort herrschenden Tropenkrankheiten entwickelt. Neben Gewürznelken, Zimt, Kardamom und Chinarinde trägt vor allem die Enzianwurzel dazu bei, aus einem Alkoholikum ein medizinisch wertvolles Getränk zu zaubern. Eingesetzt gegen Fieberschübe und Müdigkeit, bei Rekonvaleszenz, Appetitlosigkeit und Verdauungsstörungen, gilt die Enzianwurzel auch nach modernen Untersuchungsmethoden als hoch differenziertes, antioxidatives und antiinflammatorisches Naturheilmittel.

AO ●●●●○
AI ●●●●○
CP ●●●●○

98

Muskatnuss mit Valrhona-Schokolade

5 Stückchen Valrhona-Schokolade
3 cl Grand Marnier
3 cl Cognac
2 cl Sojamilch
1 Tropfen Chili-Öl
1 Teelöffel frisch
gemahlene Kakaobohnen

Alle Zutaten in einen Topf geben,
auf größerer Hitze flüssig kochen.
In ein mit Eis gefülltes Rührglas
abseihen und leicht verrühren.
Die kalte Basis in ein Cocktailglas
abseihen. Den Cocktail mit frisch
gemahlenen Kakaobohnen und
Muskatnuss bestreuen.

SOJAMILCH

Sojamilch und andere Soja-produkte zählen zu den absoluten Anti-Aging-Superstars. Reich an Phytoöstrogenen, sorgt Soja für mehr Feuchtigkeit in der Haut und speichert diese auch länger. Dadurch erhält die Haut mehr Spannkraft, da festes Bindegewebe aufgebaut werden kann. Soja kann also die Hautalterung deutlich verzögern und schützt durch die zahlreich enthaltenen Antioxidantien zusätzlich vor Haut- und Brustkrebs. Ganz nebenbei fördert Soja auch die Durchblutung, die Verdauung und ist blutfettsenkend.

AO ●●●●○
AI ●●●●○
CP ●●●●○

Kakao mit südamerikanischen Kakaobohnen

10 südamerikanische
Kakaobohnen, gemahlen
4 cl dunkler Rum
1 cl frisches Eiweiß
1 Schuss Kurkuma
1 cl Grand Marnier
1 Tropfen Angosturabitter

Alle Zutaten in einen
Shaker geben, Eis
hinzufügen und gut schütteln.
In ein Cocktailglas
abseihen.

KURKUMA

Man weiß gar nicht, wo man beginnen soll, will man über die guten Seiten von Kurkuma (Gelbwurz) erzählen. Ihre Geschichte lässt sich schon beinahe 4 000 Jahre verfolgen, in Indien gilt die Pflanze als heilig, und Neugeborenen wird mit Kurkuma ein gelber Punkt auf die Stirn gemalt, der Glück bringen soll. Man schreibt dem Gewürz seit jeher magische Kräfte zu und auch so manche Heilkraft. Die Zauberei konnte die Wissenschaft nicht nachweisen, doch dass Kurkuma stark antibakteriell ist und bei Kreislaufproblemen hilft – das schon. Weiters wurde bewiesen, dass das Gewürz, das ein wichtiger Bestandteil jeder guten Currymischung ist, eine ausgeprägte antioxidative sowie antiinflammatorische, aber vor allem eine immense chemopräventive Wirkung besitzt.

AO ●●●●●
AI ●●●●●
CP ●●●●●

INGWER JULEP

3 hauchdünn geschnittene
Scheiben frischer Ingwer
4 cl Gin
1 cl Limettensaft
1 Teelöffel brauner Zucker
2 cl Apfelwein
1 cl Calvados

Alle Zutaten in ein Rührglas geben und
24 Stunden im Kühlschrank ruhen lassen.
Danach den Ingwer herausnehmen.
Das restliche Gemisch in einen Shaker geben,
Eis hinzufügen und gut schütteln.
In ein Cocktailglas abseihen,
mit Ingwer-Scheiben garnieren.

Erdbeere mit Dille und Sesam

5 frische Erdbeeren
1 Zweig Dille
1 Zweig Fenchel
5 Sesamkörner
1 cl Grand Marnier
4 cl Gin

Erdbeeren, Dille, Fenchel und Sesam
in einem Whiskey-Tumbler mit einem
Stößel zerdrücken. Grand Marnier
und Gin dazugeben. Leicht verrühren.
3 Eiswürfel dazugeben.

Buchdruckerei Josef Radinger, Mariazell.

Sesam

Auch Sesam zählt zu jenen
heilsamen Nahrungsmit-
teln, die man bereits ägyptischen Königen ins nächste
Leben mitgab. Und recht
hatten sie, ist Sesam doch
voll von sekundären Pflanzeninhaltsstoffen, die antioxidativ wirken. Außerdem
besitzt er jede Menge Vitamin E, Folsäure, Magne-
sium, Calcium und Phos-
phor.

AO ●●●●○
AI ●●●●○
CP ●●●●○

CILANTRO PASO

Vorbereitung: Koriander-Gin
1 Flasche Gin
10 Zweige frischer Koriander

Aus der Flasche Gin 8 cl ausleeren, um Platz für die anderen Zutaten zu schaffen. Koriander dazugeben und 24 Stunden im Kühlschrank stehen lassen. Danach die Korianderzweige aus dem Alkohol nehmen.

Cocktail
4 cl Koriander-Gin
1 Teelöffel Matcha-Teepulver
1 Scheibe frischer, grüner Paprika
1 Tropfen Angosturabitter
1 cl frischer Limettensaft
1 Teelöffel brauner Zucker

Alle Zutaten in einen Shaker geben, gut schütteln und in ein Martiniglas abseihen. Mit einer Scheibe frischem, grünem Paprika und einem kleinen Zweig Koriander garnieren.

MATCHA

Nur das japanische Kaiserhaus kam einst in den Genuss des außergewöhnlichen Tees, der das Leben verlängern soll. „Ein Elixier, das fast unsterblich macht", schrieb einst ein Mönch, der von dem einzigartigen Grüntee erfuhr. Bis heute ist der Tee ein flüssiger Schatz, der aufwendig und schwierig herzustellen und Grundlage der japanischen Teezeremonie ist. Vermutlich ist er auch eine der Hauptursachen, weswegen Japaner mit einer überdurchschnittlich langen Lebenserwartung gesegnet sind. Matcha ist kein klassischer Tee, sondern ein Teepulver. Nach der Ernte werden die Teeblätter gedämpft, getrocknet und anschließend gemahlen. Matcha wird also dem Körper direkt zugeführt, wodurch deutlich mehr gesundheitsfördernde Inhaltsstoffe, etwa Polyphenole, Antioxidantien, Vitamine oder Spurenelemente, mitgenommen werden. Matcha enthält rund das Siebzigfache an Antioxidantien einer Orange, das Dreizehnfache eines Granatapfels, achtmal mehr Beta-Carotin als Spinat und 137-mal mehr Katechine (antioxidativ und antikanzerogen) als normaler grüner Tee. Darüber hinaus soll er das Risiko von Herzinfarkt, Schlaganfall und sogar Alzheimer und Parkinson verringern.

AO ●●●●●
AI ●●●●●
CP ●●●●●

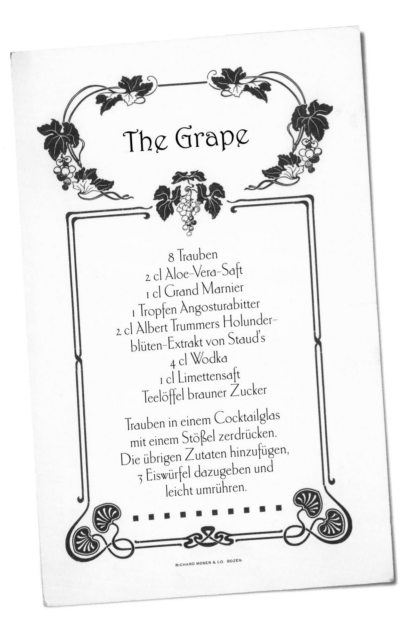

The Grape

8 Trauben
2 cl Aloe-Vera-Saft
1 cl Grand Marnier
1 Tropfen Angosturabitter
2 cl Albert Trummers Holunder–
blüten-Extrakt von Staud's
4 cl Wodka
1 cl Limettensaft
Teelöffel brauner Zucker

Trauben in einem Cocktailglas
mit einem Stößel zerdrücken.
Die übrigen Zutaten hinzufügen,
3 Eiswürfel dazugeben und
leicht umrühren.

RICHARD MOSER & CO. BOZEN.

BITTERORANGEN
Der Hauptbestandteil von
Grand Manier, einem fran-
zösischen Likör, sind Bitterorangen und Cognac. Bei
der Bitterorange, auch als
Pomeranze bezeichnet,
dreht sich in pharmazeuti-
scher Hinsicht alles um die
Schale. Die bitter schme-
ckenden Flavonoide sind
beste Helfer bei Appetitlosigkeit und Magenstörun-
gen und unterstützen die
körpereigene Immunab-
wehr. Außerdem besitzen
Citrus-Flavonoide eine
Anti-Tumor-Aktivität, das
heißt, sie sind antioxidativ,
ja sie zählen sogar zu den
stärksten Antioxidantien
der Natur.

AO ●●●●○
AI ●●●○○
CP ●●●○○

Grüne-Minze-Extrakt

10 frische Minzeblätter
4 cl dunkler Rum
1 Tropfen Angosturabitter
1 cl frischer Limettensaft
5 Goji-Beeren

Die Beeren mit einem Stößel
zerdrücken, mit den restlichen
Zutaten in ein Rührglas geben,
Eis hinzufügen und leicht umrühren.
In ein Martiniglas abseihen
und mit einem Minzeblatt
garnieren.

RUM

Man glaubt es kaum, doch auch Rum ist aus gesundheitlicher Sicht eine äußerst interessante Cocktailbasis. Denn Rum besteht zu einem guten Teil aus Rohrzucker, und dieser enthält attraktive Anti-Aging-Substanzen. Die enthaltenen Mineralstoffe, Spurenelemente und Vitamine helfen, Blutfette und Cholesterinwerte zu senken. Die vielen gesundheitsfördernden Inhaltsstoffe des Rohrzuckers im Rum – sei es als Melasse oder frischer Zuckerrohrsaft – werden durch den hohen Alkoholgehalt potenziert und dynamisiert.

AO ●●●●○
AI ●●●●○
CP ●●●●○

Rhabarber-Martini

Vorbereitung: Vanille-Cognac
10 Vanilleschoten in eine Flasche Cognac einlegen,
24 Stunden rasten lassen.

Cocktail
4 cl frisches Rhabarber-Püree
4 cl Wodka
1 cl frischer Limettensaft
1 Teelöffel brauner Zucker
1 Schuss Vanille-Cognac

Alle Zutaten in einen Shaker geben,
Eis hinzufügen und gut schütteln.
In ein Martiniglas abseihen und
mit einer Scheibe Rhabarber garnieren.

AO ●●●●○
AI ●●●○○
CP ●●●○○

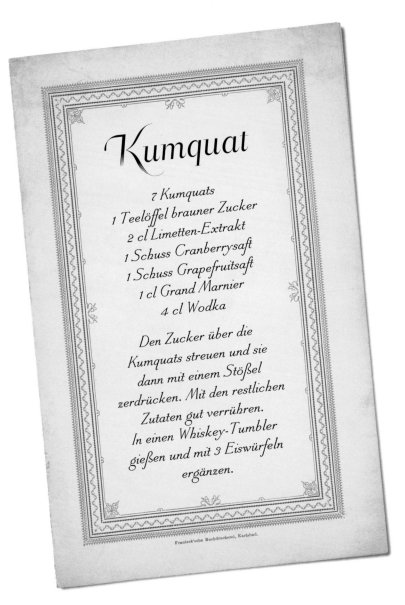

Kumquat

7 Kumquats
1 Teelöffel brauner Zucker
2 cl Limetten-Extrakt
1 Schuss Cranberrysaft
1 Schuss Grapefruitsaft
1 cl Grand Marnier
4 cl Wodka

Den Zucker über die
Kumquats streuen und sie
dann mit einem Stößel
zerdrücken. Mit den restlichen
Zutaten gut verrühren.
In einen Whiskey-Tumbler
gießen und mit 3 Eiswürfeln
ergänzen.

Franieck'sche Buchdruckerei, Karlsbad.

KUMQUAT

Die Zwergorange, wie sie auch gerne genannt wird, hat ihren Zweitnamen zu Unrecht, denn sie gehört weder zur Familie der Orangen noch zu der der Zitrusfrüchte, sondern vielmehr zu den Rautengewächsen. Die süßsaure Frucht wird mit Schale und Kernen verzehrt – und darin liegt auch ihre Kraft. Denn in der Schale und in den Kernen verstecken sich sämtliche gesundheitsfördernden Wirkstoffe, wie Vitamin C, Kalium und Vitamin A. Wichtig nur: Greifen Sie unbedingt zu ungespritzten, biologisch angebauten Früchten!

AO ●●●○○
AI ●●●●○
CP ●●●○○

GRANATAPFEL

1 frischer Granatapfel
3 cl Cachaça
2 cl Hibiskus-Extrakt
1 cl frischer Limettensaft
1 Teelöffel brauner Zucker
1 cl frischer Grapefruitsaft
1 cl Cranberrysaft

*Den Granatapfel auspressen und
den Saft mit den übrigen Zutaten
in einen Shaker füllen, Eis
hinzufügen und gut schütteln.
In ein Cocktailglas abseihen und
2 Eiswürfel dazugeben.*

STUTTGART. E. GREINER.

GRANATAPFEL

Zu Recht wird der Paradiesapfel in wissenschaftlichen Kreisen gehypt. Bereits im Alten Testament stand sein Fruchtsaft als Lebenselixier und als Symbol für Unsterblichkeit. Weit mehr als 200 wissenschaftliche Studien belegen die gesundheitliche Wirkung etwa gegen Zellalterung, speziell im Gehirn, gegen chronische Entzündungsherde oder gegen Krebs. Seine heilsamen Effekte verdankt der Granatapfel besonderen Inhaltsstoffen, den Polyphenolen. Diese Pflanzenstoffe wirken antioxidativ, antiinflammatorisch und krebshemmend. Die Inhaltsstoffe ähneln auch dem menschlichen Östrogen und haben dadurch eine sehr positive Auswirkung auf den – vor allem weiblichen – Hormonhaushalt.

AO ●●●●○
AI ●●●●○
CP ●●●●○

GURKE-BITTER

5 frische Gurkenscheiben
1 Tropfen Angosturabitter
1 Orangenscheibe
1 Apfelscheibe
2 cl Grand Marnier
4 cl Gin
1 cl frischer Limettensaft
1 Teelöffel brauner Zucker

Die Gurkenscheiben mit einem Stößel zerdrücken und mit den übrigen Zutaten in einen Whiskey-Tumbler geben. Eis dazugeben, leicht umrühren und mit Gurke dekorieren.

GURKE

Kann ein Gemüse, das aus 95 Prozent Wasser besteht, gesund sein? – Und wie! Die Gurke beweist es. Erstens löscht sie herrlich den Durst, zweitens enthält die Gurke das Enzym Erespin, das Eiweiß spaltet und so die Verdauung von Fleisch vereinfacht. Weiters steckt das grüne Gemüse voller Mineralstoffe, Vitamine und Spurenelemente. Magnesium hilft etwa, Stress besser zu bewältigen, Kalium beruhigt die Nerven, Kupfer beugt Rheumaschmerzen vor und die enthaltenen Bitterstoffe unterstützen die Funktion der Leber.

AO ●●●○○
AI ●●●○○
CP ●●●○○

Dille-Martini

1 Zweig Dille
3 cl Tomatenwasser
4 cl Wodka

Alle Zutaten in einen Shaker geben,
Eis hinzufügen und gut schütteln.
In ein Martiniglas gießen und mit
einer Cherrytomate garnieren.

* * *

DILLE

„Ich habe Salz und Dill, mein Mann muss machen, was ich will", lautet ein volkstümliches Sprichwort. Das Kraut soll also den Mann gefügig machen ... Ob die Dille hält, was sie hier verspricht, ist fraglich, sicher ist jedoch, dass Dille bereits in altägyptischen Texten und auch im Neuen Testament als gesundheitsfördernd erwähnt wurde und dank ihrer reichlich enthaltenen ätherischen Öle und Bitterstoffe unserer Gesundheit auf die Sprünge hilft. Dille beruhigt die Nerven, hilft bei Schlafstörungen, gegen Magen- und Darmprobleme und wirkt appetitanregend.

AO ●●●○○
AI ●●●○○
CP ●●●○○

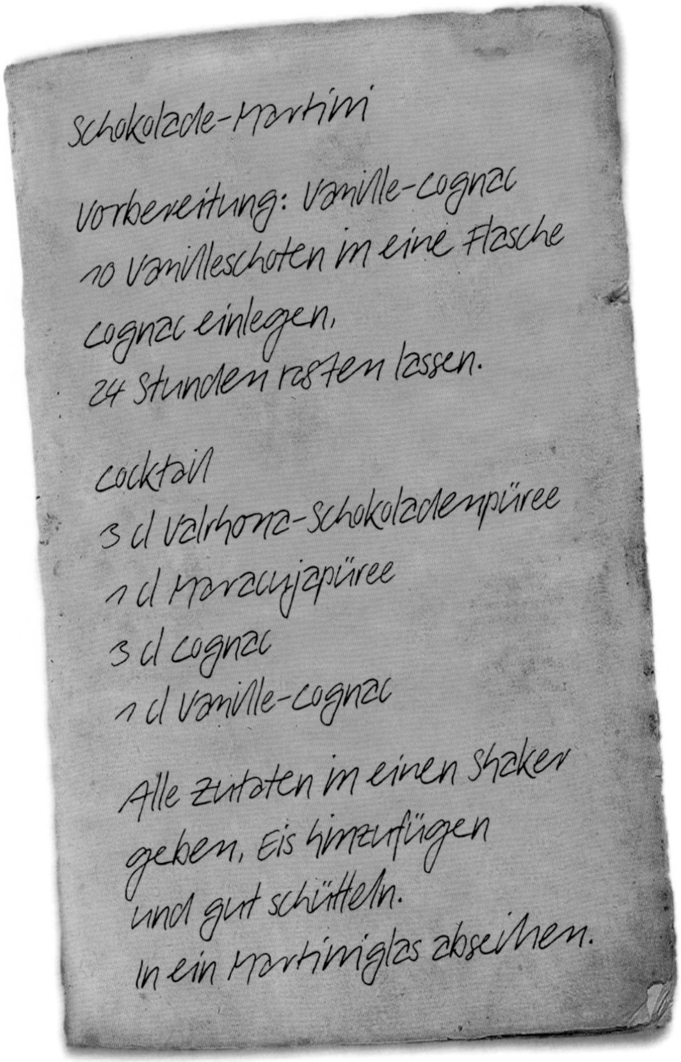

Schokolade-Martini

Vorbereitung: Vanille-Cognac
10 Vanilleschoten in eine Flasche
Cognac einlegen,
24 Stunden rasten lassen.

Cocktail
3 cl Valrhona-Schokoladenpüree
1 cl Maracujapüree
3 cl Cognac
1 cl Vanille-Cognac

Alle Zutaten in einen Shaker
geben, Eis hinzufügen
und gut schütteln.
In ein Martiniglas abseihen.

AO ●●●●○
AI ●●●○○
CP ●●●○○

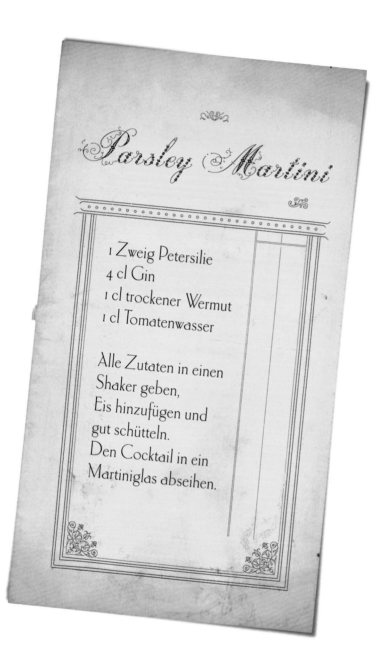

Parsley Martini

1 Zweig Petersilie
4 cl Gin
1 cl trockener Wermut
1 cl Tomatenwasser

Alle Zutaten in einen
Shaker geben,
Eis hinzufügen und
gut schütteln.
Den Cocktail in ein
Martiniglas abseihen.

PETERSILIE

Die Petersilie zählt zu den beliebtesten und bekanntesten Kräutern in unseren Breitengraden. Das Standard-Küchengewürz kann aber mehr als Suppen und Kartoffeln verfeinern. Im Vergleich zu anderen Kräutern wartet die Petersilie mit deutlich mehr Vitamin A, B1, B2, C und E auf. Aufsehenerregend ist auch der hohe Gehalt an Eisen, Kalium, Magnesium und Kalzium. Einst empfahl man Petersilie bei Potenzproblemen – die positive Wirkung ist fraglich, doch gilt sie bis heute als Aphrodisiakum.

AO ●●●○○
AI ●●●○○
CP ●●●○○

Lorbeer-Martini

1 Lorbeer-Zweig
1 cl trockener Wermut
4 cl Wodka
1 cl Aloe-Vera-Saft

*Alle Zutaten in einen Shaker geben,
Eis hinzufügen und gut schütteln.
In ein Martiniglas abseihen.*

STAR-FRUIT-COCKTAIL

2 Scheiben Sternfrucht
2 cl Wodka
1 cl Albert Trummers Holunderblüten-
Extrakt von Staud's
1 cl frischer Limettensaft
1 Teelöffel brauner Zucker
4 cl Champagner

Sternfrucht mit einem Stößel zerdrücken, mit
den restlichen Zutaten – außer Champagner –
in ein Rührglas geben, leicht umrühren und
den Champagner ergänzen.
Eine Scheibe Sternfrucht ins Cocktailglas
geben und den Cocktail dazugießen.

KARAMBOLE/ STERNFRUCHT

Der Baum der Sternfrucht nennt sich Gurkenbaum, doch wachsen auf ihm keine grünen, länglichen Früchte, sondern einem dreidimensionalen Stern ähnliche Beeren. Eines haben diese aber mit den Gurken gemeinsam: Beide bestehen zu einem hohen Prozentsatz aus Wasser. Zusätzlich hortet die Karambole reichlich Vitamin A und C sowie eine ordentliche Portion Kalium. Die ebenfalls enthaltene Oxalsäure ist mit Vorsicht zu genießen: Vor allem Menschen mit Eisenmangel sollten seltener zur Sternfrucht greifen.

AO ●●●○○
AI ●●○○○
CP ●●●○○

130

Brombeer-Martini

8 Brombeeren
1 Tropfen Angosturabitter
4 cl Wodka
1 cl Limettensaft
1 cl Grand Marnier

5 Brombeeren mit einem Stößel zerdrücken, gemeinsam mit den übrigen Zutaten in einen Shaker geben, Eis hinzufügen und gut schütteln. Den Cocktail in ein Martiniglas abseihen und 3 weitere ganze Brombeeren in den Martini geben.

AO ●●●○○
AI ●●○○○
CP ●●●○○

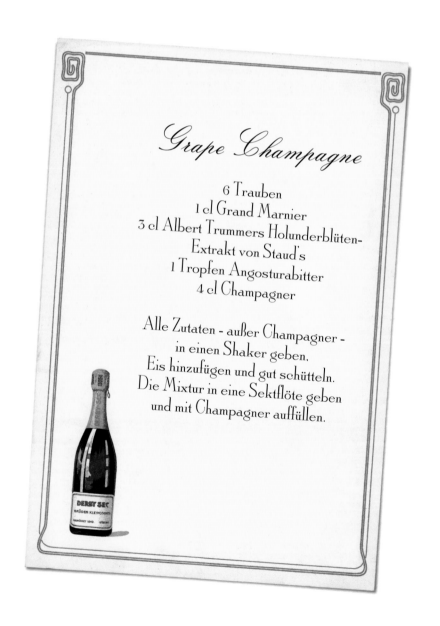

Grape Champagne

6 Trauben
1 cl Grand Marnier
3 cl Albert Trummers Holunderblüten-
Extrakt von Staud's
1 Tropfen Angosturabitter
4 cl Champagner

Alle Zutaten - außer Champagner -
in einen Shaker geben.
Eis hinzufügen und gut schütteln.
Die Mixtur in eine Sektflöte geben
und mit Champagner auffüllen.

FOREVER YOUNG: NEUE ANTI-AGING-KREATIONEN

MONTEZUMA'S DREAMS

6 Erdkakaobohnen
3 cl Schokoladenlikör
5 cl Sojamilch
2 Tropfen Chiliöl
1 Tropfen Schwedenbitter-Kräuterextrakt
3 cl frische Mandelmilch
1 Zimtstange

Alle Zutaten in einen Shaker geben,
Eis ergänzen und gut schütteln.
In ein Cocktailglas abseihen,
2 große Eiswürfel dazugeben,
mit 1 Zimtstange garnieren.

KAKAOBOHNE

In Spanien zählt Kakao schon lange zu den angesagtesten und hippsten Getränken – der schale Beigeschmack von Kindergetränk ist längst Vergangenheit. Dass sich die Kakaobohne für die Gesundheit stark macht und deutlich mehr kann, als man ihr rein äußerlich zutraut, ist der Forschung schon lange bekannt, wie ihr wissenschaftlicher Name „Theobroma" (Götterspeise) beweist. Das Gesundheits-Geheimnis der schwarzen Bohne sind sekundäre Pflanzeninhaltsstoffe, speziell die Flavonoide, die durch ihre hohe Konzentration viele Lebensmittel regelrecht in den Schatten stellen. Flavonoide regen u. a. die Reaktionsgeschwindigkeit des Gehirns an. Das heißt so viel, wie: Wer Kakao trinkt, bleibt bis ins hohe Alter geistig fit. Außerdem wirken die antioxidativen Substanzen in den Kakaobohnen gegen Herzinfarkt, Schlaganfälle, Krebs und sogar gegen gefährliche Blutgerinnsel.

AO ●●●●○
AI ●●●●○
CP ●●●●○

MEXICAN HIGHLANDER

4 cl Tequila
2 cl Agavennektar
2 cl Aloe-Vera-Saft
1 cl frischer Limettensaft
1 Teelöffel brauner Zucker

Alle Zutaten in einen Shaker
geben, Eis ergänzen,
gut schütteln und in ein
Cocktailglas gießen.
1 Eiswürfel dazugeben,
den Glasrand mit mexikani-
schem Chipotle-Salz garnieren.

KAKTEEN

Die meisten Zutaten dieses
Drinks werden aus Sukku-
lenten (Aloe Vera, Agave)
gewonnen. Die Inhaltsstoffe
dieser Pflanzen sind extrem
hochprozentige Anti-Aging-
Substanzen, weil die Pflanzen in besonders unwirtli-
chen Umweltbedingungen
überleben müssen. Sie sind
die wahren „Surviving-
Künstler", und das machen
wir uns hier zunutze.

AO ●●●○○
AI ●●●●○
CP ●●●●○

BIG APPLE

3 Äpfel, geschält und entkernt
3 cl Calvados
3 Apfelscheiben
2 cl Holunderblüten-Extrakt
3 cl Cider
1 Teelöffel brauner Zucker

Die Äpfel pürieren und durch ein feines Sieb streichen. 5 cl von diesem Apfel-extrakt mit den übrigen Zutaten in einen Shaker geben, Eis hinzufügen und gut schütteln. In ein Cocktailglas abseihen, 3 Eiswürfel dazugeben und mit 5 Gurkenscheiben garnieren.

Apfel

Die Volksweisheit „An apple a day keeps the doctor away" kann man ruhig für bare Münze nehmen. Denn das mitteleuropäische Lieblingsobst enthält neben leicht verdaulichen Kohlehydraten, verdauungsfördernden Ballaststoffen, vielen Vitaminen und Mineralstoffen vor allem reichlich gesundheitsfördernde sekundäre Pflanzenstoffe, etwa Polyphenole, die das Immunsystem stärken, Herz-Kreislauferkrankungen vorbeugen und antikanzerogen wirken. In diesem Drink gibt es die positiven Inhaltsstoffe des Apfels gleich hoch drei, nämlich in Form von Apfel-Cidre, einem moussierenden Apfelwein, Calvados, einem hochprozentigen Branntwein aus Äpfeln, und den frischen Apfelscheiben selbst.
Bei diesem Drink kann man also ruhigen Gewissens sagen: It keeps 5 doctors away.

AO ●●●●○
AI ●○○○○
CP ●●●○○

HEALTHY BRAIN

4 cl Pisco
1 cl frisches Eiweiß
1 Schuss chinesischer Pfeffer-Extrakt
1 Tropfen Nelken-Öl
1 Tropfen Schwedenbitter-Kräuterextrakt
1 cl frischer Limettensaft
1 Teelöffel brauner Zucker

Alle Zutaten in einen Shaker geben,
Eis hinzufügen, gut schütteln und in
ein Cocktailglas abseihen.
2 Eiswürfel dazugeben und
mit 1 Schuss Bitter dekorieren.

GEWÜRZNELKEN

In unseren Breitengraden kennt man Gewürznelken hauptsächlich im Lebkuchen, im Punsch- oder Glühwein. In der chinesischen und ayurvedischen Heilkunde ist die Gewürznelke als gesundheitsförderndes Mittel nicht wegzudenken. 2010 schaffte sie es auch in der westlichen Medizin zur Heilpflanze des Jahres. Was kein Wunder ist, denn mittlerweile konnte wissenschaftlich belegt werden, dass kaum ein anderes Gewürz so reich an Antioxidantien ist und somit eifrig die körpereigene Abwehrkraft unterstützt. Genial hilft die geschmacksintensive Knospe gegen Zahnschmerzen, doch kann das Gewürz aufgrund seiner starken desinfizierenden Wirkung auch hervorragend gegen Entzündungen – etwa im Blasen- und Nierenbereich – eingesetzt werden. Außerdem wirken Gewürznelken regulierend auf den Magen-Darm-Trakt ein.

AO ●●●●○
AI ●●●●○
CP ●●●●○

GIN-WACHOLDER-TINKTUR MIT BEEREN UND THYMIAN

½ Flasche Bombay Gin
3 kleine Thymianzweige
10 Goji-Beeren
5 Wacholderbeeren
2 cl Gelée Royale
1 kleiner Lavendelstängel

Alle Zutaten in einen Krug geben und 48 Stunden im Kühlschrank stehen lassen. Dann nach und nach herausnehmen und in einem gekühlten Shot-Glas servieren.

GIN

Ein Hauptbestandteil von Gin sind Wacholderbeeren, die ihm auch seinen typischen Geschmack verleihen und deren antioxidative Potenz Gin zu einem außergewöhnlichen Alkohol machen. Wacholderbeeren stimulieren die Entgiftung über die Nieren, töten Bakterien und dabei besonders Parasiten im Körper, regen Appetit wie Stoffwechsel an und haben eine positive Wirkung auf die Funktion der Leber. Niederländische und britische Ärzte stellten Gin im 16. Jahrhundert während der indischen Kolonialzeit vorrangig als Pharmazeutikum gegen Anfälle von tropischem Fieber, etwa Malaria, her. Aus medizinischer Sicht ist Gin also beinahe ein „Superdrink", da er als Arzneimittel „erfunden" wurde und erst später als Genussmittel Beliebtheit erlangte.

AO ●●●●○
AI ●●●●●
CP ●●●●●

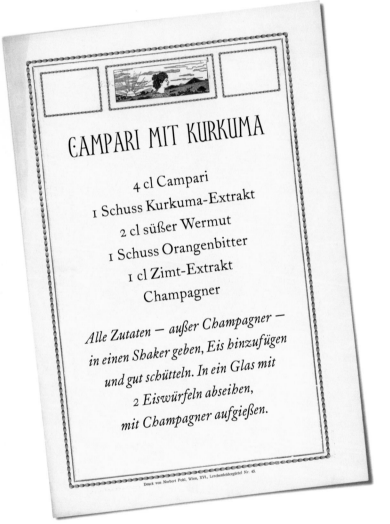

CAMPARI MIT KURKUMA

4 cl Campari

1 Schuss Kurkuma-Extrakt

2 cl süßer Wermut

1 Schuss Orangenbitter

1 cl Zimt-Extrakt

Champagner

*Alle Zutaten — außer Champagner —
in einen Shaker geben, Eis hinzufügen
und gut schütteln. In ein Glas mit
2 Eiswürfeln abseihen,
mit Champagner aufgießen.*

Druck von Norbert Pohl, Wien, XVI., Lerchenfeldergürtel Nr. 45.

CAMPARI

Das Bitter-Getränk aus Italien wird heute noch aus einem mittlerweile 150 Jahre alten Originalrezept hergestellt. Der Aperitif-Klassiker besteht aus 60 geheimen Zutaten. Nur einige wenige, etwa die Schale des Kaskarillabaumes, Chinin, Rhabarber, Granatapfel und Ginseng, sind bekannt. Doch es sind gerade die Bitterstoffe, die uns helfen, gesund zu bleiben. Bittere Kräuter und Gewürze, die im Campari enthalten sind, kurbeln den Stoffwechsel an und Verdauungsbeschwerden gehören der Vergangenheit an.

AO ●●●●○
AI ●●●●○
CP ●●●●●

148

1 Teelöffel japanischer Matcha
2 cl Gelée Royale
4 cl Bombay Gin
1 cl frischer Limettensaft
½ Teelöffel brauner Zucker
2 cl Aloe-Vera-Saft

Alle Zutaten in ein Rührglas geben, leicht
umrühren, in ein Cocktailglas abseihen und
2 Eiswürfel dazugeben.

Der Name des Drinks ist Programm. Die Ingredienzien weisen sich alle durch ihre einzigartigen Inhaltsstoffe aus. Matcha, Gelée Royale und Aloe Vera sind die absoluten Anti-Aging-Stars und waren einst nur Herrschern, Königen, Kaisern oder dem gehobenen Klerus vorbehalten. Vermutlich sind sie auch die Ursache dafür, dass Pharaonen und chinesische Kaiser sich bis ins hohe Alter guter Gesundheit erfreuten.

AO ●●●●●
AI ●●●●○
CP ●●●●●

CHINATOWN PFEFFER, SAFRAN UND BOURBON

4 cl Bourbon
½ Teelöffel Pfeffer
½ Teelöffel Safran
2 cl süßer Wermut
½ Teelöffel brauner Zucker
1 Schuss Magenbitter

Alle Zutaten in ein Rührglas geben,
leicht umrühren, in ein Cocktailglas
abseihen und 1 Eiswürfel
dazugeben.

PFEFFER

Neben einem gewissen Pep sorgt frischer Pfeffer auch für besondere Bekömmlichkeit der damit gewürzten Speisen. Der gesunde Scharfmacher fördert die Durchblutung und somit die Aufnahme der bioaktiven Substanzen, etwa die starke antioxidative Wirkung von Kurkuma. Der in den Pfefferkörnern versteckte Inhaltsstoff Piperin ist sozusagen eine Allzweckwaffe. Der Reiz, der durch die Schärfe ausgelöst wird, lässt unseren Körper Endorphine produzieren, die uns bekanntlich glücklich machen. Piperin regt außerdem Verdauung wie Fettverbrennung an, kämpft erfolgreich gegen Krämpfe, rheumatische Schmerzen und unreine Haut. Piperin, das dem in Chili vorkommenden Capsaicin ähnlich ist, greift außerdem mit großer Freude schädliche Bakterien an und ist sogar bei Insektenstichen ein perfektes Gegenmittel.

AO ●●●●○
AI ●●●○○
CP ●●●○○

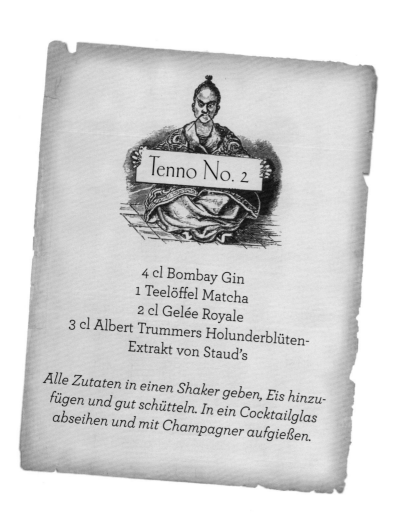

4 cl Bombay Gin
1 Teelöffel Matcha
2 cl Gelée Royale
3 cl Albert Trummers Holunderblüten-
Extrakt von Staud's

*Alle Zutaten in einen Shaker geben, Eis hinzu-
fügen und gut schütteln. In ein Cocktailglas
abseihen und mit Champagner aufgießen.*

MYSTERY OF MONASTERIES

5 cl trockener Wermut
1 cl Bénédictine
1 Tropfen Schwedenbitter-Kräuterextrakt
1 cl Wacholderbeeren-Extrakt
1 kleiner Thymianzweig
1 kleiner Lavendelstängel

Alle Zutaten in ein Rührglas geben
und 24 Stunden im Kühlschrank
stehen lassen. Danach in ein
gekühltes Cocktailglas abseihen.

In diesem Drink sind das gesamte Wissen und die Weisheit der alten Druiden, der ersten Apotheker und vor allem jener Mönche vereint, die als Sammler und Verwalter pflanzlicher Heilmittel galten. Der Drink ist, dank seiner genialen Inhaltsstoffe, die moderne Antwort auf das legendäre Aqua Vitae, das als magisches Allheilmittel bekannt ist und unter anderem auch als Schönheitsmittel verwendet wurde.

AO ●●●●●
AI ●●●●●
CP ●●●●●

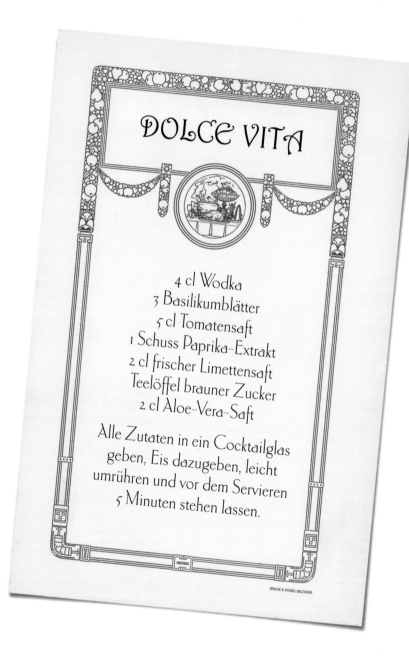

DOLCE VITA

4 cl Wodka
3 Basilikumblätter
5 cl Tomatensaft
1 Schuss Paprika-Extrakt
2 cl frischer Limettensaft
Teelöffel brauner Zucker
2 cl Aloe-Vera-Saft

Alle Zutaten in ein Cocktailglas
geben, Eis dazugeben, leicht
umrühren und vor dem Servieren
5 Minuten stehen lassen.

DRUCK R. KIESEL SALZBURG

TOMATE

Der Anti-Aging-Star im Tomatensaft nennt sich Lycopin, das bei verarbeiteten oder erhitzten Produkten – wie eben Tomatensaft – in deutlich höherer Dosierung auftritt als bei rohen Lebensmitteln. Es trumpft mit einer zwanzig Mal stärkeren antioxidativen Wirkung als Vitamin C auf und gilt als der Radikalfänger schlechthin. Außerdem belegen zahlreiche wissenschaftliche Untersuchungen eine positive gesundheitliche Wirkung bei Prostataerkrankungen und Brustkrebs.

AO ●●●●○
AI ●●●○○
CP ●●●○○

158

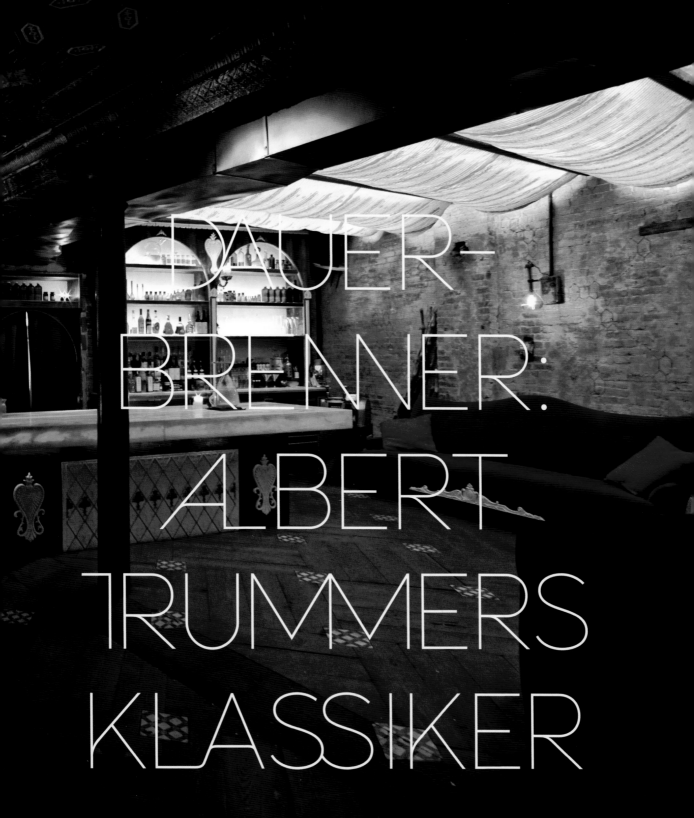

DAUER-
BRENNER.
ALBERT
TRUMMERS
KLASSIKER

NEGRONI

Ein Negroni hat die richtige Balance zwischen süß und bitter, die appetitanregend wirkt. Für einen Longdrink geben Sie Sodawasser bei. Der Negroni wurde nach dem Grafen Camillo Negroni benannt, der häufig Gast der Casoni-Bar in Florenz war.

2 cl Campari
2 cl Gin
2 cl süßer Wermut
Sodawasser (wahlweise)

Die Zutaten in ein Cocktailglas gießen, verrühren und nach Belieben Sodawasser dazugeben. Als Garnierung eine Orangenscheibe in das Getränk geben sowie einen Cocktail-Rührer (Stirrer). Sofort servieren.

MINT JULEP

Der Mint Julep wurde im Jahr 1803 zum ersten Mal schriftlich erwähnt. John Davis, ein britischer Lehrer, der in den prächtigen Häusern der Süd-Plantagen arbeitete, schrieb, der Mint Julep sei „ein alkoholisches Getränk mit Minze darin, dass die Leute in Virginia schon morgens trinken." Das Webster's American Dictionary beschreibt es als „eine Art flüssige Medizin".

4–5 frische Minzeblätter
1 Teelöffel feiner Zucker
5 cl Bourbon
2 cl kaltes Wasser

Die Minze in ein Cocktailglas geben, Zucker und Wasser hinzufügen. Die Minze mit der Rückseite eines Barlöffels zerdrücken, bis der Zucker aufgelöst ist und sich der Duft der Minze entfaltet hat. Bourbon dazugeben. Das Glas mit Crushed Ice füllen und verrühren. Einen kleinen Zweig Minze am Glasrand platzieren. Strohhalm und Stirrer dazugeben, servieren.

CAIPIRINHA

Dieser Cocktail wird auch als „Bauernge-tränk" bezeichnet sowie als Cocktail, der die Malaria-Impfung ersetzte.

1 kleine, frische Limette
1/2 Teelöffel feiner Zucker
5 cl Aguardente de cana – Cachaça

Die Limette waschen, beide Enden weg-schneiden und – von oben nach unten – in kleinen Scheiben in ein Cocktailglas schneiden. Zucker dazugeben und die Limettenscheiben mit einem Stößel zerdrücken, bis der Zucker aufgelöst ist. Das Glas mit getrockneten Eiswürfeln auf-füllen, Cachaça dazugeben und verrühren. Mit einem Stirrer servieren.

PISCO SOUR

5 cl Pisco
1 cl frischer Limettensaft
1 cl frisches Eiweiß
1 Tropfen Angosturabitter
1 Sternanis

Alle Zutaten in einen Shaker füllen, Eis dazugeben und gut schütteln. In ein Martiniglas gießen, mit einem Tropfen Angosturabitter garnieren.

KLASSISCHER DAIQUIRI

Dieses Getränk wurde nach dem in der Nähe von Santiago gelegenen Dorf Daiquiri benannt. Es wurde in Amerika bekannt, als der US-Marine-Arzt Admiral Lucius Johnson im Jahr 1909 das Rezept in die USA mitnahm und in Washingtons Army und Navy Club vorstellte.

4 cl weißer Rum
1 cl frischer Limettensaft
2 Schuss Gommesirup

Alle Zutaten in einen Shaker geben, kräftig schütteln und in ein Martiniglas abseihen. Mit einer Limettenscheibe am Glasrand dekorieren.

PINK GIN

Angosturabitter wurde vom Arzt Johann
G. B. Siegert als Mittel gegen Magenbeschwerden
eingesetzt. Siegert gewann das Mittel aus Pflan-
zenextrakten und benannte es nach der venezolanischen Stadt Angostura am Orinoco-Fluss.
Die Kunde von dieser Medizin erreichte auch die
britische Marine, die das Mittel nicht nur in ihr
medizinisches Repertoire aufnahm, sondern
auch in ihre Plymouth Gin-Rationen – und es
erhielt den Namen „pink" Gin.

3 cl Gin
1–2 Tropfen Angosturabitter

*Gin und Bitter in ein Rührglas gießen, verrühren
und in einem Martiniglas servieren.*

ALEXANDER

Ein raffiniertes After-Dinner-Getränk,
das unter Cocktailkennern
sehr beliebt ist.

3 cl Brandy
2 cl Crème de Cacao
1 cl frisches Obers

Die Crème de Cacao und das Obers
in einen Shaker gießen, Brandy und Eis
dazugeben, gut schütteln und in ein
Martiniglas abseihen. Das Getränk mit
frisch geriebenem Muskat garnieren.

MUSKAT

Die Muskatnuss zeigt sich am Gaumen als stark würzig, sehr aromatisch, gleichzeitig bitter-süßlich und etwas scharf. Kleine Dosen frisch geriebener Muskatnuss sind in der asiatischen Medizin schon lange als Heilmittel gegen Rheuma oder Muskelschmerzen bekannt und wirken stark anti-inflammatorisch. Die ätherischen Öle helfen, die Nerven zu beruhigen und die Stimmung aufzuhellen. Doch Achtung! Zu viel des Guten kann ganz schön gefährlich werden. Muskat zählt nämlich zu den sogenannten Gewürzdrogen: Bereits ab vier Gramm verursacht die kleine, unauffällige Nuss Halluzinationen. Eine Überdosierung kann sogar tödlich sein.

AO ●●○○○○
AI ●●○○○○
CP ●●○○○○

Herb Martini

Der Martini wurde zum Symbol des amerikanischen Traums, als Präsident Franklin D. Roosevelt nach dem Ende der Prohibition im Jahr 1933 seinen ersten legalen Martini im Weißen Haus mixte. Damit verlieh er dem Cocktail einen inoffiziellen Status, der die Botschaft vermittelte: „Trinken Sie Martini, und dann können auch Sie Präsident der Vereinigten Staaten werden."

3–4 Teile Gin
1 Teil Wermut
Je mehr Gin, desto trockener der Martini

Gin und Wermut in einem Rührglas mit Eis leicht verrühren. In ein Martiniglas abseihen.

Klassischer Champagner-Cocktail

Im Jahr 1889 organisierte ein New Yorker Journalist einen Wettbewerb unter New Yorker Barkeepern. Ihre Aufgabe war es, einen neuen Cocktail zu kreieren. John Dougherty gewann mit einem Getränk, das er bereits 25 Jahre zuvor komponiert hatte.

1 Zuckerwürfel
1 Tropfen Angosturabitter
2 cl Cognac
5 cl Champagner

Den Zuckerwürfel in eine Sektflöte geben und mit Angosturabitter vollsaugen lassen. Cognac dazugeben und mit Champagner auffüllen. Mit einer Orangenscheibe garnieren.

GROSSE WIRKUNG – KLARER KOPF: ALKOHOLFREIE COCKTAILS

7 Erdbeeren
1 cl frischer Limettensaft
2 cl frischer Agavensaft
1 hauchdünne Scheibe Ingwer
3 cl frischen Orangensaft
1 cl frischer Ananassaft
1 cl Sojamilch

Erdbeeren in Scheiben schneiden und in einen Mixer geben. Gemeinsam mit dem Limettensaft, Agavensaft und Ingwer pürieren. Das fertige Püree in einen Shaker abseihen, um die Kerne zu entfernen. Orangensaft, Ananassaft und Sojamilch dazugeben, Eis ergänzen, gut schütteln und alle Zutaten in ein Cocktailglas schütten. 3 Eiswürfel dazugeben und servieren.

ERDBEERE

Die kleinen, roten, geschmackvollen Früchte können in punkto Vitamin-C-Gehalt – immerhin 65 Milligramm Vitamin C pro 100 Gramm – durchaus mit Zitrusfrüchten mithalten. Auch wurden sie seit jeher aufgrund ihres hohen Gehaltes an Calcium, Natrium, Kalium und Eisen als Heilmittel bei Gicht und Rheuma hoch geschätzt. Heute weiß man um ihre antioxidative und vor allem antikanzerogene Wirkung! Erdbeeren verringern ferner das Risiko von Herz-Kreislauf-Erkrankungen und unterstützen den Körper dabei, den Cholesterinspiegel zu regulieren. Das enthaltene Kalium hilft außerdem, zu entwässern und zu entschlacken.

AO ●●●●○
AI ●●●●○
CP ●●●●○

BASILIKUM UND AGAVE

5 Basilikumblätter
2 cl Agavensaft
3 cl Tomatenwasser
4 cl frischer, unvergorener Traubensaft
1 cl frischer Limettensaft
4 cl frischer Apfelsaft

Alle Zutaten in ein Rührglas geben, 5 Eiswürfel ergänzen und leicht umrühren. In
ein Cocktailglas gießen, mit 3 frischen Basi-
likumblättern garnieren.

GRAPEFRUIT MIT ARTISCHOCKE

5 Artischockenblätter
5 cl frischer Grapefruitsaft
1/2 Grapefruit in Scheiben
3 cl unvergorener Traubensaft
1 Teelöffel brauner Zucker
2 cl frischer Ananassaft

Alle Zutaten in ein Rührglas geben, leicht
umrühren und 2 Stunden im Kühlschrank
stehen lassen. Danach den Saft in ein
Cocktailglas abseihen und mit 5 frischen,
geschälten Grapefruitscheiben garnieren.

GURKE UND DILLE

7 Gurkenscheiben
2 Scheiben frische Dille
1 cl frischer Limettensaft
5 cl frischer Apfelsaft
1 Teelöffel brauner Zucker
3 cl frischer Traubensaft

Dille und Gurke in einem Rührglas vermischen, die übrigen Zutaten beifügen und
leicht umrühren. 3 Eiswürfel dazugeben.
Das Gemisch ohne abzuseihen in einem
Cocktailglas servieren.

SALBEI UND MATCHA

5 Salbeiblätter
1 cl Matcha-Tee-Pulver
3 cl Albert Trummers Holunderblüten-
Extrakt von Staud's
4 cl Agavensaft
4 cl frischer Traubensaft
2 cl Apfelsaft

Alle Zutaten in ein Rührglas geben, leicht
umrühren, 3 Eiswürfel dazugeben und alles
gemeinsam in ein Cocktailglas gießen

Kakaobohnen mit Chiliöl und Sojamilch

7 Kakaobohnen mahlen
2 Tropfen Chiliöl
dazugeben
7 cl Sojamilch
½ cl frisches Eiweiß

Alle Zutaten in einen
Shaker geben, Eis
dazugeben, gut schütteln
und in ein Cocktailglas
abseihen.

KAKAOPULVER

Es steht neben dem Granatapfel und dem Grünteepulver als dritter Anti-Aging-Star auf dem Siegerstockerl. Bereits eine geringe Menge pro Tag senkt das Risiko von Herz-Kreislauf-Erkrankungen um 50 Prozent. Sekundäre Pflanzeninhaltsstoffe sowie bestimmte Flavonoide sind im Kakao in deutlich höherer Dosierung vorhanden als in anderen gesunden Lebensmitteln. Dank der hohen Konzentration der Wirkstoffe kann die Durchblutung und somit die Reaktionsschnelligkeit des Gehirns deutlich angeregt werden. Außerdem kann der Genuss von hochwertigen Kakaogetränken die Hautreaktion auf UV-Strahlung, die Durchblutung der obersten Hautschicht sowie des Feuchtigkeitsgehaltes verbessern. Der Inhaltsstoff Alkaloid kann in erhöhter Dosis bewusstseinserweiternd wirken.

AO ●●●●○
AI ●●●●○
CP ●●●●○

Ananas und Passionsfrucht

3 Scheiben frische Ananas, geschält
2 frische Passionsfrüchte
2 cl frischer Limettensaft
2 Teelöffel brauner Zucker
1 Scheibe Ingwer
3 cl Albert Trummers Holunderblüten-Extrakt von Staud's
3 cl frischer Orangensaft
4 cl frischer Grapefruitsaft

Die Ananasscheiben und die Passionsfrüchte
in Stücke schneiden, in einen Mixer geben und pürieren.
Mit den übrigen Zutaten – außer Grapefruitsaft –
verrühren. In einen Shaker abseihen, Grapefruitsaft
und Eis dazugeben und gut schütteln.
In einem Cocktailglas servieren.

PASSIONSFRUCHT

Man sieht der unscheinbaren Frucht der essbaren Passionsblume ihren schmackhaften Inhalt nicht gleich an. Rund 250 kleine, knusprige Samen sind im Inneren in einem geleeartigen Saft eingebettet. Ihr Vitamin-A-Gehalt ist unschlagbar, doch auch mit Vitamin B, C, Kalium und Phosphor geizt sie nicht. Die Nahrungsergänzungsmittelindustrie entdeckte die Passionsfrucht als sehr erfolgreiches Gegenmittel bei nervöser Unruhe, Reizbarkeit und Angstzuständen.

AO ●●●●○
AI ●●●○○
CP ●●●●○

Minze und Birnensaft

7 Minzeblätter
5 cl frischer Birnensaft
1 cl frischer Limettensaft
3 cl frischer Traubensaft
2 Korianderblätter
1 cl frischer japanischer Yuzu-Saft

Alle Zutaten – außer Yuzu-Saft – in einen Shaker füllen, Eis dazugeben, dann den Yuzu-Saft. Gut schütteln und in ein Cocktailglas abseihen. Mit Minze und Korianderblättern garnieren.

BIRNE

Rund 1500 Birnensorten soll es geben, die eines auf jeden Fall gemeinsam haben: Sie sind reich an wertvollen und gesundheitsfördernden Inhaltsstoffen, etwa Kalium, Vitamin C und – nicht zu vergessen – Ballaststoffen. Birnen unterstützen den Körper in der kalten Jahreszeit dabei, sich gegen Atemwegserkrankungen zu wehren, und nehmen aufgrund ihres hohen Fruchtzuckergehalts die Lust auf Süßes.

AO ●●●○○
AI ●●●○○
CP ●●●○○

TOMATEN-MARY

7 Cherrytomaten
4 cl Tomatenwasser
1 cl frischer Limettensaft
1 Teelöffel brauner Zucker
1 cl Kurkuma-Extrakt
1 cl frisches Eiweiß
1 Scheibe frischer Ingwer
5 cl frische Baby-Kokosnussmilch

Alle Zutaten in einen Mixer gießen, pürieren. Die Mixtur in ein Cocktailglas abseihen und 3 Eiswürfel dazugeben.

BABY-KOKOSNUSSMILCH
„Coconut makes me strong like a lion", sang bereits Harry Belafonte – mit gutem Grund: Der Fett-, Eiweiß- und der hohe Vitamingehalt der Kokosnuss sorgten seit Tausenden von Jahren dafür, dass die Bewohner tropischer Gebiete wohlgenährt und vor allem gesund sind. Auch gilt die Kokosnuss in ihrer Heimat bis heute als Aphrodisiakum. Gemeinsam mit der Banane und der Avocado zählt die Kokosnuss zu den wenigen Lebensmitteln, von denen sich der Mensch problemlos und vor allem ohne Vitaminmangel zu fürchten wochenlang ernähren kann. Selbst als Muttermilchersatz wird die Milch der Nuss verwendet. Neueste medizinische Forschungsergebnisse bestätigen außerdem, dass der regelmäßige Genuss von Kokosnussmilch die Normalisierung der Körperfettwerte unterstützt, die Leber vor Alkoholschäden schützt und eine starke antiinflammatorische Wirkung hat.

AO ●●●○○
AI ●●●○○
CP ●●●○○

Frischer Paprika und Fenchel

1 frischer grüner Paprika
einige Dillblätter
1 Teelöffel Matcha-Tee-Pulver
3 cl frischer Agavennektar
5 cl Aloe-Vera-Saft
1 Schuss Kurkumapulver
3 cl frischer Apfelsaft

*Paprika in kleine Scheiben schneiden und mit
den übrigen Zutaten in ein Rührglas geben.
3 Eiswürfel ergänzen und leicht umrühren.
Alle Zutaten in ein Cocktailglas gießen.
Mit Paprikascheiben garnieren.*

AO ●●●●○
AI ●●●●○
CP ●●●●○

CHINESISCHER PFEFFER-EXTRAKT

ANSATZ
100 g Chinesische Pfefferkörner
6 ml Weinbrand
4 ml Wasser
Den Chinesischen Pfeffer im Mörser zerkleinern, mit der
Mischung aus Weinbrand und Wasser ansetzen und 4 Tage
ziehen lassen. Danach das Konzentrat über einen Papierfilter abgießen.

REZEPT FÜR 1 L CHINESISCHER PFEFFER-EXTRAKT
CA. 35 VOL.-%
5 ml Chinesischer Pfeffer-Konzentrat
250 ml Weinbrand
100 ml weißer Bordeaux
30 ml roter Bordeaux
30 ml Madeira
290 ml Weinbrand
260 ml Zuckerlösung
Alle Zutaten zusammengießen und mit Wasser bis zur
1-Liter-Marke auffüllen. Der Extrakt sollte eine rubinrote
Farbe haben, wenn nötig, kann man mit schwarzem Johan-
nisbeersaft nachfärben. Langes Lagern trägt erheblich zur
Harmonisierung bei.

WACHOLDERBEEREN-EXTRAKT

ANSATZ
200 g frische Wacholderbeeren
30 g Orangenschalen (ohne die innere weiße Schicht)
10 g Bitterorangenschalen (ohne die innere weiße Schicht)
6 g Angosturarinde
5 g Chinarinde
2 g Zimt
2 g frische Zitronenschale (ohne die innere weiße Schicht)
0,5 g Nelken
0,5 g Kardamom
150 ml Weinbrand
120 ml Wasser
Alle festen Zutaten im Mörser zerkleinern und mit der Mischung aus Wasser und Weinbrand 14 Tage lang extrahieren.
Dann den ganzen Ansatz auf einen Papierfilter geben und
das Konzentrat ablaufen lassen. Über die Rückstände
gleichmäßig so viel Wasser gießen, bis 270 ml Konzentrat
vorhanden sind.

REZEPT FÜR 1 L WACHOLDERBEEREN-EXTRAKT
CA. 32 VOL.-%
270 ml Wacholderbeeren-Konzentrat
200 ml Weinbrand
300 ml Zuckerlösung
50 ml Malaga
Alle Zutaten vermischen und mit Wasser bis zur 1-Liter-
Marke auffüllen. Der Extrakt muss nach dem Mischen
einige Wochen ruhen und kann dann mühelos filtriert werden. Falls die Eigenfarbe nicht ausreicht, mit Zuckercouleur
nachfärben. Durch langes Lagern gewinnt der Wacholderbeeren-Extrakt an Qualität.

PAPRIKA-EXTRAKT

100 g frischer roter Paprika
25 g Ingwerwurzel
5 g Natriumbikarbonat
180 ml Weinbrand

Paprika und Ingwer mit dem Messer oder einer Reibe zerkleinern und mit einer Mischung aus 5 g Natriumbikarbonat und 100 ml heißem Wasser übergießen. 48 Stunden stehen lassen, dann die Lauge abgießen und das Paprika-Ingwer-Gemisch kräftig mit klarem Wasser spülen. Nun den solchermaßen vorbehandelten Paprika und die Ingwerwurzeln mit einer Mischung aus 180 ml Weinbrand und 130 ml Wasser 8 Tage lang zersetzen. Dann den Ansatz auf einen Papierfilter geben und das Konzentrat ablaufen lassen. Anschließend so viel Wasser über die Rückstände gießen, bis insgesamt 320 ml Konzentrat vorhanden sind.

REZEPT FÜR 1 L PAPRIKA-EXTRAKT

320 ml Paprika-Konzentrat
20 ml Arrak oder Rum-Verschnitt
130 ml Weinbrand
320 ml Zuckerlösung

Alle Zutaten vermischen und mit Wasser bis zur 1-Liter-Marke auffüllen. Bei Bedarf mit Zuckercouleur leicht nachfärben. Den Extrakt nach dem Mischen einige Tage ruhen lassen. Längeres Lagern wirkt sich günstig auf den Geschmack aus.

FENCHEL-EXTRAKT

ANSATZ

250 g Fenchel
6 ml Weinbrand
4 ml Wasser

Den Fenchel schneiden, im Mörser weiter zerkleinern, mit der Mischung aus Weinbrand und Wasser ansetzen und 4 Tage ziehen lassen. Danach das Konzentrat über einen Papierfilter abgießen.

REZEPT FÜR 1 L FENCHEL-EXTRAKT CA. 35 VOL.-%

5 ml Fenchel-Konzentrat
250 ml Weinbrand
100 ml weißer Bordeaux
30 ml Madeira
260 ml Zuckerlösung

Alle Zutaten zusammengießen und mit Wasser bis zur 1-Liter-Marke auffüllen. Zum Färben des Fenchel-Extraktes etwas grüne Lebensmittelfarbe in heißem Wasser auflösen und dem Extrakt nach und nach zusetzen, bis der gewünschte Farbton erreicht ist.

LIMETTEN-EXTRAKT

ANSATZ

500 ml frisch gepresster Limettensaft
250 ml Weinbrand

Den ganzen Ansatz in ein Seihtuch füllen und das Konzentrat ablaufen lassen, gegen Ende mit der Hand nachpressen. Dann das Tuch mit der Rückseite voran in einen Trichter geben und gleichmäßig Wasser darübergießen, bis insgesamt 500 ml Konzentrat angesammelt sind.

REZEPT FÜR 1 L LIMETTEN-EXTRAKT

500 ml Limetten-Konzentrat
100 ml Himbeergeist
250 ml Zuckerlösung
1/4 Teelöffel Vanillezucker

Alle Zutaten vermischen und mit Wasser bis zur 1-Liter-Marke auffüllen. 2 bis 3 Wochen stehen lassen und dann filtrieren, um auch die restlichen Pektine abzuscheiden. Der Limetten-Extrakt sollte innerhalb eines Jahres getrunken und während dieser Zeit in einem dunklen, kühlen Raum aufbewahrt werden.

HIBISKUS-EXTRAKT

ANSATZ

400 g getrocknete Hibiskusblüten
180 ml Weinbrand
5 g Natriumbikarbonat

Die Hibiskusblüten waschen, zerkleinern und mit einer Mischung aus 5 g Natriumbikarbonat und 100 ml heißem Wasser übergießen. 48 Stunden stehen lassen, dann die Lauge abgießen und die Blüten kräftig mit klarem Wasser spülen. Nun die solchermaßen vorbehandelten Hibiskusblüten mit einer Mischung aus 180 ml Weinbrand und 130 ml Wasser 8 Tage lang zersetzen. Dann den Ansatz auf einen Papierfilter geben und das Konzentrat ablaufen lassen. Anschließend so viel Wasser über die Rückstände gießen, bis insgesamt 380 ml Konzentrat abgelaufen sind.

REZEPT FÜR 1 L HIBISKUS-EXTRAKT

380 ml Hibiskus-Konzentrat
50 ml Weinbrand
70 ml Himbeergeist
250 ml Zuckerlösung

Alle Zutaten vermischen und mit Wasser bis zur 1-Liter-Marke auffüllen. Zur Verfeinerung kann dem Extrakt die dünn geschälte Schale einer halben unbehandelten Orange zugesetzt werden. Ein zu heller Farbton sollte mit Zuckercouleur verbessert werden. Trübungen können nur nach längerer Lagerung mittels Papierfilter beseitigt werden.

TOMATENWASSER

1 kg Tomaten
3 Teelöffel Salz
Tomaten fein würfeln, salzen und pürieren. Mindestens 12 Stunden durch ein Mulltuch abtropfen lassen. Dazu am besten einen Teller darauflegen und mit einem Gewicht beschweren. Das Resultat ist klares Tomatenwasser (ca. 700 ml). Man kann es als Grundlage für Suppen, Gelee und Ähnliches verwenden. Die nicht benötigte Menge wird eingefroren.

SCHWEDENBITTER-KRÄUTEREXTRAKT

ANSATZ
2,5 g Melissenblätter
2,5 g Pfefferminzblätter
0,7 g Arnikablüten
0,5 g Thymian
0,2 g Majoran
0,1 g Salbeiblätter
0,1 g Zimt
0,1 g Kardamom
0,1 g Nelken
280 ml Weinbrand
300 ml Wasser
Die Kräuter in einem Mörser zerkleinern, mit Weinbrand und Wasser übergießen und 24 Stunden ruhen lassen. Dann das Konzentrat über einen Papierfilter abgießen.

REZEPT FÜR 1 L SCHWEDENBITTER-KRÄUTEREXTRAKT
580 ml Schwedenbitter-Kräuterkonzentrat
100 ml Weinbrand
100 ml Zuckerlösung
Das Schwedenbitter-Kräuterkonzentrat mit Zuckerlösung und Weinbrand vermischen, mit Wasser bis zur 1-l-Marke auffüllen und 5 Tage ruhen lassen.

Liste der beschriebenen Inhaltsstoffe

ALBERT TRUMMER, der seine Karriere ursprünglich in Wiens „Sky Bar" gestartet hatte, eröffnete 2008 im boomenden New Yorker Chinatown die hippe Bar „Apotheke". Geheime Rezepte aus Klöstern, ungewöhnliche Zutaten aus aller Welt, ausschließlich frische und gesunde Ingredienzen sind die Zutaten für seinen Erfolg.

MARKUS METKA, Prof. Dr. med., ist Oberarzt an der Abteilung für Endokrinologie und Sterilitätsbehandlung an der Universität Wien sowie Präsident der Österreichischen Anti-Aging-Gesellschaft. Er gilt als einer der führenden Pioniere auf dem Gebiet der Anti-Aging-Medizin und der Hormonforschung, verfasste mehr als 300 wissenschaftliche Publikationen und zahlreiche populärmedizinische Bücher.

Bibliografische Information der Deutschen Nationalbibliothek
Die Deutsche Nationalbibliothek verzeichnet diese Publikation in der Deutschen Nationalbibliografie;
detaillierte bibliografische Daten sind im Internet über http://dnb.d-nb.de abrufbar.

1. Auflage

Redaktion: Heidi Mayrhofer
Grafische Gestaltung: fuhrer visuelle gestaltung, Stefan Fuhrer
Alle Abbildungen von Thomas Schauer, mit Ausnahme von:
S. 6: IMAGNO/Ullstein (Konfuzius, einer der bedeutendsten Philosophen des alten China in einer
jesuitischen Darstellung, aus *Description de la Chine* von Jean-Baptiste Duhalde, 1674–1743);
S. 7 oben: Archiv Markus Metka;
S. 7 unten: IMAGNO (Apotheke, Bereiten von Arznei, Miniatur, aus *Materia Medica* von Pedanios
Dioskurides, persische Ausgabe, Bagdad, 1224, Original im Metropolitan Museum New York);
S. 8: IMAGNO/Interfoto (Von lieblichem und süßem Geruch, Holzschnitt,
koloriert, zu *Trostspiegel* (1344/1366), von Francesco Petrarca, Druck
vom Petrarcameister, Augsburg, Deutschland, ab 1532);
S. 9: IMAGNO/Interfoto (Pharmazie, Apotheke. Innenansicht, Kupferstich, koloriert,
Deutschland, um 1600);
S. 10: IMAGNO/Austrian Archives (Der Arzt Paracelsus, Gemälde von Quentin Metsys, 1466–1530);
S. 11: Archiv Markus Metka.

Für die Fotografien im Freien danken wir Frank Purita, One Woman Vineyard.
Für die Fotografie auf S. 191 (Markus Metka und Albert Trummer in der Apotheke) danken wir Mag. pharm.
Helmut Kowarik, Apotheke zum Goldenen Reichsapfel.

Dank an Albert Trummers Mixology-Team: Miguel Aranda, Jack Judson, Orson Salicetti, Esteban Ordonez
sowie Javier Amayo und Jakob Trummer (Test Kitchen/Lab.)

Für die Verschriftlichung der Cocktailrezepte: Elisabeth Keatinge
Für die Bereitstellung der Gläser: Max Riedel, Baccarat
Lektorat: Gudrun Stecher
Druck: Grasl Druck und Neue Medien, Bad Vöslau
Papier: Hello fat mat, 150 g/m²

ISBN deutsch 978-3-85033-389-4

Christian Brandstätter Verlag
GmbH & Co KG
A-1080 Wien, Wickenburggasse 26
Telefon (+43-1) 512 15 43-0
Telefax (+43-1) 512 15 43-231
E-Mail: info@cbv.at
www.cbv.at

Designed and printed in Austria